A MULHER QUE ESCREVEU A BÍBLIA

CB058747

MOACYR SCLIAR

A MULHER QUE ESCREVEU A BÍBLIA

12ª reimpressão

COMPANHIA DE BOLSO

Copyright © 1999 by Moacyr Scliar

Grafia atualizada segundo o Acordo Ortográfico da Língua Portuguesa de 1990, que entrou em vigor no Brasil em 2009.

Capa
Jeff Fisher

Revisão
Renato Potenza Rodrigues
José Muniz Jr.

Atualização ortográfica
Verba Editorial

Os personagens e situações desta obra são reais apenas no universo da ficção; não se referem a pessoas e fatos concretos, e sobre eles não emitem opinião.

Dados Internacionais de Catalogação na Publicação (CIP)
(Câmara Brasileira do Livro, SP, Brasil)

Scliar, Moacyr, 1937-2011
A mulher que escreveu a Bíblia / Moacyr Scliar. — 1ª ed. —
São Paulo : Companhia das Letras, 2007.

ISBN 978-85-359-0953-1

1. Romance brasileiro. I. Título.

06-9229 CDD-869.93

Índice para catálogo sistemático:
1. Romances : Literatura brasileira 869.93

Todos os direitos desta edição reservados à
EDITORA SCHWARCZ S.A.
Rua Bandeira Paulista, 702, cj. 32
04532-002 — São Paulo — SP
Telefone: (11) 3707-3500
www.companhiadasletras.com.br
www.blogdacompanhia.com.br

Em Jerusalém, há quase três mil anos, alguém escreveu um trabalho que, desde então, tem formado a consciência espiritual de boa parte do nosso mundo [...].
Não era um escriba profissional, mas antes uma pessoa altamente sofisticada, culta e irônica, destacada figura da elite do rei Salomão [...]; *uma mulher, que escreveu para seus contemporâneos como mulher.*

HAROLD BLOOM, The Book of J

Muita gente pergunta por que me dedico à terapia de vidas passadas. Minha resposta varia conforme as circunstâncias. Quando sou entrevistado na tevê ou no rádio — e sou muito entrevistado —, declaro, de forma propositadamente reticente, que cheguei a isso por artes do destino. O resultado é, em geral, muito bom, traduzindo-se em admiradas exclamações por parte de entrevistadores e do público eventualmente presente. Destino é uma palavra de que as pessoas gostam muito; associam-na com o sobrenatural, com astros, coisas que sempre impressionam. Aproveitando o frisson, vou além. A princípio com proposital dificuldade — pausas vacilantes, penosos silêncios —, mas logo com crescente entusiasmo — como se as comportas se tivessem aberto, entende?, as comportas da emoção — revelo que minha profissão originalmente era outra: professor de História. O que, de novo, é uma surpresa: em geral, imaginam-me psicólogo ou médico.

Não conto — porque ao público não interessa e mesmo que interessasse eu não contaria — como optei pela História. Quem me incentivou a fazê-lo foi meu pai, o velho comuna Aurélio Silva. Operário, o que ganhava como gráfico mal dava para sustentar a família — mulher, cinco filhos; mas tinha uma fé inabalável no futuro, para ele sintetizado numa única e mágica palavra: comunismo. Nunca se viu, nunca se verá, alguém com tamanha crença num ideal. Não era apenas um militante, era um devoto estudioso da doutrina. Devorava todos os livros que os companheiros lhe emprestavam. Como tinha pouco tempo, lia até altas horas da noite, apesar dos protestos de minha mãe. No dia seguinte mal conseguia trabalhar; de tão cansado, chegava a cabecear de sono — o que resultou num trágico acidente: a guilhotina que operava decepou-lhe a mão direita. Inválido, foi sumariamente despedido. Os companheiros do Partido arranjaram-lhe outro emprego — vigia do sindicato —, mas sua vida nunca mais foi a mesma.

Deprimia-se facilmente, chorava por nada. Minha mãe não sabia o que fazer, meus irmãos não tinham muita paciência. Cabia a mim, portanto, dar-lhe algum apoio. Conversávamos horas a fio. Conversávamos, não; ele falava, eu escutava. E falava sempre sobre o seu passado de militante. A obra de Marx dizia, olhos úmidos, foi para mim uma revelação. Na verdade lera apenas um resumo de O capital, *mas tinha sido o suficiente: de repente tudo ficara claro a seus olhos, a História tinha um sentido; mais, tinha leis.*

Foi por causa desses papos que escolhi História? Acho que sim. Era como se eu o indenizasse, compreende?, pela mão que havia perdido, e pelo sofrimento...Chorou de alegria quando passei no vestibular: você será aquilo que eu não pude ser, dizia, um grande intelectual, um líder do Partido.

Enganava-se, o pobre homem. Eu era esquerdista, mas não militante: nunca me submeti a essas regras de partido. Na universidade, participei de alguns movimentos de protesto; assinei manifestos, distribuí panfletos, mas quando concluí o curso já não estava mais interessado em política. Tinha o diploma, precisava ganhar a vida — àquela altura meu pai tinha falecido, e o sustento de minha mãe corria exclusivamente por minha conta, porque eu morava com ela. Gostava de ensinar; de modo que arranjei um emprego como professor num colégio público. O salário era baixo, a escola pobre e sem recursos, mas o que mais me chateava era o fato de que os alunos não davam a mínima para a disciplina. Para que a gente precisa saber dos egípcios, perguntavam, dos faraós, esses caras já morreram há tanto tempo. Eram uns chatos, aqueles alunos, e eu já estava ficando com raiva deles e querendo mandar tudo à merda. Antes de largar o colégio, porém, decidi fazer uma última tentativa. Bolei uma brincadeira, uma encenação na qual cada aluno deveria representar um personagem histórico. Para minha surpresa, a coisa entusiasmou a garotada. Era o assunto do dia, na escola: reis, condes, generais, os alunos não falavam de outra coisa. Os outros professores, admirados, me cumprimentavam pela ideia. E aí aconteceu.

Um dos alunos, um rapaz muito quieto, muito humilde, resolveu representar o papel de um príncipe qualquer, já não lembro qual. Entregou-se por completo à tarefa. Pesquisando a vida do personagem, passava horas na biblioteca — a encarregada tinha até de mandá-lo embora. Seu comportamento mudou; tratava os colegas de forma estranha, agressiva. Muitos se queixavam, mas eu não dava muita bola: afinal, tratava-se de um adolescente, e adolescentes têm dessas coisas.

Um dia a secretária da escola veio à sala de aula, chamou-me ao corredor: uma mulher estava no saguão de entrada querendo falar comigo. Está furiosa, acrescentou, alarmada, é melhor você ir até lá. Fui.

Era a mãe do garoto. O que é que o senhor andou fazendo com meu filho, berrou, tão logo me viu. Tentei acalmá-la, pedi que me contasse o que estava acontecendo. Ainda irritada, disse que o filho não lhe obedecia mais, tornara-se arrogante, mandão. Não arrumava mais a cama, deixava as roupas espalhadas para que alguém as juntasse.

— Tudo por sua causa — queixou-se. — Por causa desse tal trabalho que o senhor inventou.

Queria fazer queixa à direção, mas eu a dissuadi: pode deixar que resolvo o problema, garanti.

Chamei o garoto para uma conversa particular. De fato, ele já não era o mesmo Luizinho que antes falava comigo encolhido, olhos no chão. Eu agora tinha diante de mim era alguém com pose de príncipe. Cautelosamente, perguntei se se dava conta dessa mudança e a que a atribuía. De início respondeu de forma arrogante — não precisava me dar satisfações, quem era eu, um professorzinho medíocre — mas, de súbito, abriu o jogo. Sim, algo tinha acontecido, algo extraordinário. Ele não estava apenas representando um papel; estava vivendo uma existência diferente. Tinha voltado ao passado, e ao fazê-lo descobrira que na realidade fora não um príncipe, como modestamente supusera, mas um rei, um rei poderoso e cruel, desses monarcas que não hesitam em mandar matar os inimigos. Já liquidei mais de três mil, garantiu, orgulhoso. Contou-me com detalhes uma dessas execuções, realizada no grande pátio do castelo real e assistida por uma multidão. Descreveu-me como o carrasco posicionara o pescoço do condenado no cepo, como lhe decepara a cabeça com um golpe de machado, o sangue esguichando sobre as pessoas que estavam na frente. Devo dizer que fiquei impressionado: era como se o rapaz estivesse mesmo vivendo a cena. Ao terminar a narrativa, agradeceu-me, magnânimo, por ter oportunizado o recuo no tempo que lhe permitira encontrar sua verdadeira personalidade.

— Você será recompensado — prometeu, e foi-se.

Aturdido, eu não sabia o que pensar. Mas logo dei-me conta das extraordinárias possibilidades que o caso do garoto me proporcionava. Um novo caminho abria-se diante de mim: eu me descobria terapeuta de vidas passadas.

Essa é a história que conto nas entrevistas. E já a contei tantas vezes que para mim se tornou verdade. Fato ou ficção, o certo é que as pessoas gostam muito, e é o que importa. Depois disso, fiz um curso sobre terapia de vidas passadas, claro, mas o método que uso é meu mesmo, baseado no conhecimento que acumulei como professor de História. Os pacientes voltam ao passado; enquanto estão tendo suas visões, vou explicando: esse lugar onde você está é o palácio real, esse homem de armadura à sua frente é Frederico, o Grande, esses outros são os cortesãos... Costumo dizer que faço o papel de guia, conduzindo as pessoas pelos labirintos do tempo.

O sucesso foi imediato. Comecei atendendo pessoas numa salinha de um velho edifício no centro da cidade. Em pouco tempo minha fama se espalhou. A demanda cresceu espantosamente; o ganho idem. Tive de procurar um lugar maior e mais confortável — mais apropriado para a diferenciada clientela que eu agora tinha. Um corretor de imóveis indicou-me um velho casarão, numa rua tranquila de subúrbio. Fui até lá, e tão logo entrei dei-me conta de que era o lugar ideal: a escadaria da entrada guarnecida por leões, as peças amplas, os painéis de madeira de lei, os azulejos portugueses nos corredores, as antigas luminárias, tudo aquilo remetia ao passado; era, portanto, o cenário ideal para pessoas querendo regredir no tempo. A mudança assinalou a culminância de meu sucesso, àquela altura já consolidado. Eu era procurado por empresários, artistas, atores de tevê. Mudei-me para um apartamento novo, comprei um carro importado. A mídia corria atrás de mim. Editoras de autoajuda assediavam-me para que escrevesse um livro.

Foi então que ela apareceu.

Uma tarde, a secretária anunciou que alguém queria me ver, uma moça que tinha me visto na tevê e concluíra: terapia de vidas passadas era exatamente aquilo de que necessitava.

— É filha de fazendeiro — acrescentou a secretária, piscando o

olho. Ou seja, a moça tinha grana, o que não era decisivo mas, claro, pesava na balança. Recebi-a, admiti-a para o tratamento.

Na primeira sessão, chorou muito. Contou que não se dava bem com o pai: ele não me entende, nunca me entendeu, nunca foi capaz de se aproximar de mim — a ladainha habitual. À exceção de uma irmã, que lhe servia de confidente, vivera solitária, no seu mundinho — expressão dela — cheio de fantasias. Consolava-se lendo, lendo muito, e estudando — no colégio de freiras que frequentava era considerada uma das melhores alunas e ganhara vários prêmios por seus conhecimentos acerca da Bíblia: sabia de cor o Cântico dos cânticos, por exemplo.

Cerca de um ano antes tinha vivido um doloroso transe, algo que mudara sua vida. Apaixonara-se por um empregado da fazenda, um rapaz bonito mas estranho, arredio. Coisa súbita: conviviam desde a infância, mas sempre de forma distante até que de repente surgiu aquela coisa, aquele repentino, inexplicável arrebatamento, já não pensava em outra coisa, só queria vê-lo, estar junto dele. E aí a dúvida: falar-lhe de seus sentimentos? Diferente de outros, o rapaz parecia mirá-la com simpatia, com afeto até. Criou coragem, decidiu: abriria o coração, contaria tudo. No dia em que ia fazê-lo, porém, estourou o escândalo na família: o rapaz tivera um caso com a irmã, desvirginara-a. O fazendeiro, furioso, mandou dar uma surra no vilão e expulsou-o.

Foi tal o seu sofrimento — um sofrimento que não podia partilhar com ninguém — que resolveu deixar a pequena cidade do interior onde vivia e veio para a capital. Arranjou um emprego numa grande empresa. O trabalho não era de todo mau e as pessoas no escritório tratavam-na bem, mas ela não conseguia esquecer o que se passara. Ao contrário, sentia-se cada vez pior. Deprimida, dormia mal.

Uma entrevista que dei à tevê foi — palavras dela — verdadeira revelação. Na terapia de vidas passadas encontraria a solução para o seu problema. Estava segura, disse, que eu poderia ajudá-la, guiando-a nos labirintos do passado onde se ocultava a resposta para suas inquietações. Era grande a sua disposição, mas eu estava com o pé atrás. Alguma coisa me dizia que aquela não seria uma terapia comum, que eu pisava terreno minado. Mas começamos, de qualquer maneira, e logo ela estava regredindo no tempo até chegar, em suas *visões, ao palácio que vira em sonhos e que era o palácio do rei Salomão (o que, aliás, para mim foi um problema — eu conhecia pouco a Bíblia, tive de estudar o assunto às pressas). Ali estava como uma das muitas esposas do monarca, que descrevia como um homem bonito, encantador; estava profundamente apaixonada por ele. Verdade que essa paixão não era correspondida, mas isso não a impedia de fantasiar cenas tórridas no leito de Salomão, cenas que descrevia em titilantes detalhes.*

Logo descobri que atrás disso ocultava-se um propósito: ela estava apaixonada por mim; a mim dirigiam-se tais descrições. Uma vez tentou até abraçar-me. Delicada mas firmemente contive-a, explicando que aquilo na verdade era engano, que ela estava confundindo presente e passado. Ter um caso com uma paciente seria arriscado para mim, era a última coisa que eu queria.

Mas o problema não era esse. O problema era que suas histórias me perturbavam. Surpreendi-me mais de uma vez a espiar os seios que apareciam pela blusa entreaberta. Seios pequenos, lindos, duas harmoniosas elevações. Pelo vale entre aqueles seios queria eu andar; queria subir por eles, lamber aqueles mamilos...O que me deixou alarmado, confuso. Ela, por incrível que possa parecer, nada notava. Conformara-se com minha recusa; além disso suas energias estavam concentradas naquela furiosa caça a seu amado Salomão. Eu não tinha coragem de lhe dizer, vamos parar com esta punheta, você está aqui e eu também, o que interessa é o presente, se você quer fazer amor vamos fazer amor agora. Depois de cada sessão ela se despedia de mim cordialmente e se ia, sem que nada acontecesse. E eu? Eu me trancava no banheiro e me masturbava. Como um adolescente cabaçudo.

Minha ansiedade cresceu ainda mais quando a secretária contou que um homem viera procurá-la na clínica, depois de ter estado na loja. Pela descrição que fez, não tive dúvida: tratava-se do ex-empregado da fazenda do pai, certamente disposto a corrigir seu erro e a pegar a filha certa. O que estava longe de ser uma boa notícia. Entre o rei Salomão e o empregado agora transformado em conquistador minhas possibilidades tornavam-se escassas. Eu precisava me apressar. Não só lutava para recuar no tempo, lutava contra o próprio tempo. A minha angústia manifestava-se nos sonhos: neles eu era Salomão, mas quem estava no meu leito não era a minha paciente, era a rainha de Sabá, que viera de longe para me visitar e a quem eu tinha de proporcionar assessoria política e sexual. Ou seja: eu trepava com uma mulher pensando em outra.

Desses sonhos, acordava banhado em suor. E decidi: tinha de lhe confessar o meu amor. De imediato. Aquela coisa de vidas passadas estava terminando comigo. Porém, como fazê-lo? Como voltar atrás, depois que eu a tinha repelido?

Uma manhã telefonou avisando à secretária que não viria à consulta. Deixou um recado, porém: que eu fosse à tarde a seu apartamento. Uma surpresa lá me aguardaria.

Surpresa? Deus, que surpresa poderia ser aquela? O que encontraria eu, quando aquela porta — a porta do destino — se abrisse? Estaria ela ali, num negligée preto, os lindos seios palpitando por mim? Teria chegado, enfim, o grande momento?

Não passavam, as horas, naquela tarde. Os pacientes falavam, falavam, uma mulher sendo decapitada em plena Revolução Francesa, um homem singrando os mares numa caravela, uma senhora de idade lutando na Guerra Civil americana — eu nada escutava. Olhava o relógio. Às quatro da tarde não aguentei mais: anunciei à secretária que as consultas estavam suspensas e corri para o apartamento dela, a alguns quarteirões dali. Ao dobrar a esquina da rua, meu coração quase parou.

Ela vinha saindo do prédio de apartamentos abraçada a um homem, os dois rindo, felizes. Eu não conhecia o cara, mas nem por um momento tive dúvidas: era o antigo empregado do pai. Carregava uma mala, dela, seguramente. Embarcaram num táxi e se foram.

Entrei no prédio, tomei o elevador, fui até o apartamento que ela partilhava com uma colega de trabalho. Foi essa moça quem me abriu a porta. Perguntou se eu era o terapeuta e, diante de minha afirmativa, anunciou que tinha algo para mim. É da sua ex-paciente, disse, ela foi embora, não volta mais, mas deixou isto aqui.

Entregou-me uma carta e uma pasta de cartolina. A carta, escrita apressadamente, era de despedida — e de agradecimento: a sábia ajuda que eu lhe tinha dado conduzira-a a um resultado até certo ponto surpreendente. A raiva que sentia pelo rapaz que a trocara pela irmã desfizera-se por completo e o antigo amor renascera: ele era o seu rei, o monarca com quem sonhara.

Quanto à pasta de cartolina, continha a história que havia escrito baseada em sua viagem ao passado. Dedicava-a a mim; eu estava autorizado a fazer com a narrativa o que desejasse. Desde que não mencionasse seu nome, poderia, inclusive, divulgá-la.

Essa é a história que tenho lido, dia e noite, desde que ela se foi. Procuro a mim próprio, nessa história. Procuro-me nas linhas e nas entrelinhas, procuro-me nos nomes próprios e nos nomes comuns, procuro-me nos verbos e nos advérbios, nos pontos, nas vírgulas, nas reticências. E não me acho. Assim como não me acho em lugar nenhum. Estou perdido.

Continuo atendendo em minha clínica, mas tenho pensado seriamente em mudar de rumo, em retomar o estudo da História. Vou ganhar menos, e me incomodar mais, mas espero não ter desilusões. Quero esquecê-la.

Que mais? Ah, sim, ela era feia.

A feiura é fundamental, ao menos para o entendimento desta história. É feia, esta que vos fala. Muito feia. Feia contida ou feia furiosa, feia envergonhada ou feia assumida, feia modesta ou feia orgulhosa, feia triste ou feia alegre, feia frustrada ou feia satisfeita — feia, sempre feia.

Desde a infância eu suspeitava disso, de que era feia. As outras meninas da aldeia, bonitas em geral, relutavam em brincar comigo; quando eu aparecia, davam um jeito de escapulir, rindo à socapa. Ora, eu não era aleijada, nem estúpida; por que fugiam? Era algo que viam em mim, e de que não falavam. Assim, e por incrível que possa parecer, só fui descobrir a extensão de minha fealdade aos dezoito anos. Quem colaborou para isso, ironicamente, foi minha irmã mais nova, a irmã que era amiga e confidente e a quem eu procurava sempre que tinha algo a contar.

Uma tarde, entrei no quarto e lá estava ela. Julgando-se só, mirava-se ao espelho.

Eu não sabia que minha irmã tinha um espelho. Ninguém sabia que minha irmã tinha um espelho. Mais: ninguém sabia que havia um espelho na casa. Em primeiro lugar, espelho era uma coisa cara, ao alcance só de nobres e ricos proprietários. Não era o caso de nosso pai; embora patriarca da aldeia, tinha apenas um rebanho de cabras, e nem era dos maiores. Na verdade, até a época de meu avô nossa gente era nômade; percorria o deserto em busca de pastagem para as cabras, morava em tendas. Sempre fora assim e tudo indicava que sempre seria assim. Meu pai, contudo, decidiu que a tribo teria residência fixa. Seu sonho era que formássemos o núcleo de uma cidade, de uma cidade que cresceria rapidamente, tornando-se uma metrópole, talvez a capital de um império. Era um homem ambicioso, ele, ainda que não muito inteligente. E intratável: não admitia ser contrariado. Quando alguém lhe perguntava acerca da metrópole que antecipava, do império, limitava-se a responder, seco:

— Tu verás.

E mais não dizia.

Enquanto o futuro por meu pai profetizado não chegava, continuávamos morando numa casa pequena, austera. Poucos móveis, nenhum conforto; qualquer coisa que cheirasse a luxo seria abominação. Assim, mesmo que pudesse comprar um espelho, não o faria. Isso é coisa dos demônios, dizia, por trás de cada espelho está o Mal, pronto a usar a vaidade para atrair as pessoas ao pecado. Não que fosse um exemplo de moral; era um mulherengo conhecido, desses que não respeitam nem a mulher do próximo. Além disso, andara metido em negócios escusos — parte de seu rebanho era, para usar um eufemismo, de procedência duvidosa. Nada disso o impedia de posar como um guardião da moralidade. Exigia da tribo, e da família em particular, um comportamento irrepreensível. Não tolerava a menor manifestação de vaidade nas filhas.

Uma disposição que minha irmã desobedecera, ao obter (de que forma, só depois eu descobriria) um pequeno espelho redondo, o espelho no qual agora se olhava. Extasiada, e com razão: era linda, ela. Tão linda quanto eu era feia. Grandes olhos, narizinho delicado, boca bem desenhada... Linda mas imprudente: esquecera a porta aberta. E assim eu pudera surpreendê-la em plena transgressão.

Ao ver-me, assustou-se, quis esconder o espelho. Antes que o fizesse, agarrei-a; dá-me isso, gritei, furiosa, quero olhar-me também. De imediato deu-se conta do risco que eu corria, tentou dissuadir-me: não o faças, este espelho é maldito, me enfeitiçou, vai te enfeitiçar também, nosso pai tinha razão em proibir essa coisa do demônio, não te olhes, por favor, não te olhes, isso é vaidade, é abominação, eu já pequei, não peques tu também.

De nada adiantaram seus gritos, seu desespero. No fundo eu sabia que ela queria poupar-me de algo para mim ainda desconhecido: a devastadora revelação da minha feiura, da qual, àquela altura, eu apenas suspeitava. Tendo visto o espelho, porém, eu não recuaria por nada neste mundo. Era uma tentação irresistível; a vertigem do abismo, por assim dizer. Pois que me tragasse, aquele abismo, a mim pouco importava: em busca da verdade, de bom grado me precipitaria nele. No fundo eu talvez nutrisse a esperança de um milagre, o espelho revelando-me um rosto surpreendentemente belo, ou pelo menos não de todo feio. Talvez fosse aquele um espelho mágico, mágico só para mim, bem entendido, não para as outras; um espelho capaz de sintonizar com os ocultos anseios da pessoa, procedendo, mediante a energia psíquica da qual se tornaria instantaneamente depositário, a um completo reordenamento — e embelezamento — de linhas faciais, aquela coisa do sapo virando príncipe. O que pensei, o que almejei naquele instante, já não recordo. Só sei que queria o espelho e faria qualquer coisa para consegui-lo.

Em pânico, minha irmã tentou fugir. Fui em seu encalço, derrubei-a. Lutamos. Pouco: não era adversária para mim; o que eu tinha de feia, tinha de forte... Dominei-a, arrebatei de sua mão o espelho. E pronto, agora ele era meu.

Não era dos melhores espelhos, aquele: um simples disco de bronze polido, de qualidade duvidosa. Mas fazia o que todos os espelhos têm de fazer, para felicidade ou desgraça de quem neles se mira: mostrava um rosto. Meu rosto.

Eu não podia acreditar no que estava vendo. Meu Deus, sou essa aí?

Não havia ali nenhuma simetria, naquela face, nem mesmo a temível simetria do focinho do tigre; eu buscava em vão alguma harmonia. Não era a grande harmonia das esferas que eu pretendia, um pequeno estro harmônico já me seria suficiente, mas nem isso eu obtinha, porque havia um conflito naquele rosto, a boca destoando do nariz, as orelhas destoando entre si. E os olhos, que poderiam salvar tudo, eram estrábicos, um deles mirando, desconsolado, o espelho, o outro com o olhar perdido, fitando desamparado o infinito, talvez para não ter de enxergar a cruel imagem. Detalhe (mas ainda é preciso detalhar? É, sim, é preciso ir ao detalhe, é preciso descer até o fundo do melancólico poço): sinais. Disseminados pela face, eu tinha — não contei, mas acho que duas dezenas é uma estimativa até conservadora — sinais. Sinais às pencas; um despropósito de sinais, um surto inflacionário de sinais. Pela variedade, poderiam se constituir no objeto de um tratado de dermatologia. Havia-os de variado tamanho e matiz. Um deles me incomodava particularmente; de tão protruso, era quase séssil, balançando desamparado no ar. A um vento mais forte, e ventos fortes em nossa região não eram incomuns, se desprenderia e seria levado para longe dali. Se caísse entre pedras feneceria, se caísse na areia do deserto feneceria, se caísse na cratera de um vulcão feneceria — e ele fenecendo eu só me alegraria, mas se caísse em terra fértil... Se caísse em terra fértil germinaria, e sabe Deus que planta nasceria dali, que estranha árvore de galhos secos e retorcidos. Se a esse espécime dessem, mesmo que por intuição, o epíteto de árvore da feia, eu não poderia me queixar; o máximo que poderia fazer era tentar abatê-la na calada da noite.

Resumindo, era isso o que eu via: a) assimetria flagrante; b) carência de harmonia; c) estrabismo (ainda que moderado); d) excesso de sinais. Falta dizer que o conjunto era emoldurado (emoldurado! Essa é boa, emoldurado! Emoldurado, como um lindo quadro é emoldurado! Emoldurado!) por uns secos e opacos cabelos, capazes de humilhar qualquer cabeleireiro.

O que o espelho me mostrava era algo semelhante a uma paisagem estranha, atormentada, na qual os acidentes (acidentes: muito apropriado, o termo) geográficos não guardavam a menor relação entre si. Uma catástrofe tinha ocorrido em minha face, um cataclismo que seguramente antecedera de muito o meu nascimento; o que eu estava vendo era a feiura arcaica, a feiura ancestral, uma feiura consolidada pelos anos, pelos milênios, talvez.

Rosto oculto entre as mãos, minha irmã soluçava baixinho. Não me dava pena vê-la assim. Ao contrário, o que sentia era raiva — imensa, incontida raiva, dela, da outra irmã, de meus pais. Por que não me haviam dito antes que eu era tão feia? Por que me haviam enganado?

Por piedade, era a resposta mais óbvia. Tinham tentado poupar-me à acabrunhante realidade mediante uma laboriosa conspiração. Ao longo dos anos, haviam sido personagens de uma comédia, exitosamente encenada para plateia reduzida: eu. "Aí vem ela, vamos fingir que nada notamos em sua face, vamos fingir que ela é normal, um pouco bela, até — não vamos nos mostrar deslumbrados diante de sua beleza porque periga não colar, quando a esmola é demais o santo desconfia, mas se nos portarmos de maneira natural, cairá direitinho." Espectadora única, eu fora facilmente enganada. Verdade que a atuação deles, agora eu era forçada a reconhecer, fora soberba. Ninguém falava de meus traços; ninguém diria, por exemplo, como és bela — mas também ninguém diria, és medonha. Guardariam silêncio, ou então recorreriam a sinuosas expressões de elogio: como tu estás bonita com essa túnica. A afirmativa "tu estás bonita" sempre se acompanharia de uma relativizadora complementação ("com essa túnica"), o que atenuaria a mentira, tornando-a suportável aos olhos de Jeová e ao mesmo tempo alimentando a piedosa ilusão.

Com um pouco de atenção eu teria percebido o embuste. Mas, será que eu queria perceber o embuste? Ou estaria, eu própria, participando dele, enganando-me — em parte para não frustrar a trupe familiar, em parte para não descobrir a aterradora verdade?

Essa dúvida já não tinha sentido. A farsa não mais se sustentava. Confrontada com a realidade, eu dela não conseguiria escapar. Ah, se pudesse voltar atrás... Por que me olhei naquele espelho, eu me perguntava, golpeando o peito com incontida fúria, por que cedi à maldita curiosidade, à maldita vaidade? Por que não me arrancou Jeová da mão aquele revelador, mas funesto objeto? Hein, Jeová? Por que não tomaste alguma providência, tu que sabes tudo, tu que podes tudo? Podias ter reduzido o espelho a pó, com o simples ato de tua vontade. Por que não o fizeste? Será que não existes, amigo? Hein? Será que não passas de uma abstração, uma ilusão da ótica emocional?

Clamor inútil, inúteis recriminações. Nada mais podia ser feito. Eu tinha me olhado ao espelho e pronto: o que tinha visto, não esqueceria. Mas eu precisava, senão de consolo, ao menos de explicação. Tinha de saber a razão pela qual coubera a mim tamanho quinhão de feiura. A Natureza não poderia ter procedido em vão, ao obrar a minha face. Aquilo, sem dúvida, era a resposta a um pecado, a um crime. Mas que pecado, que crime havia eu cometido? Em busca de resposta, voltei-me para a infância. Verdade, eu fora malvada, mas não mais que a média das crianças; batia nas minhas irmãs, mas só de vez em quando, e mesmo assim de forma relativamente comedida: a minha agressão podia resultar em arranhões, em equimoses, mas não em luxações, por exemplo, e muito menos em fraturas. Não, nada em minha conduta pregressa podia explicar a imagem que eu vira e que agora não me abandonaria. Por minhas faltas passadas eu mereceria uma meia dúzia de verrugas, no máximo, e das menores. Ou um discreto estrabismo. Ou orelhas um pouco grandes. Não mais do que isso. Todo o resto devia-se a uma outra causa, uma causa externa. Eu era vítima, não vilã. Mas vítima de quem?

Depois de pensar muito, achei a culpada: minha mãe. Aquela mulher quieta, assustadiça — tinha medo de tudo, do vento, da trovoada, mas temia sobretudo meu pai, que a tratava a pontapés —, nunca se aproximara muito de mim. Às vezes me contava uma história, às vezes entoava, em sua desafinada voz, uma canção de ninar qualquer; às vezes me acariciava o rosto — mas com mão arisca, trêmula. E a isso se resumira nossa relação. Tendo olhado o espelho, eu agora identificava o motivo de sua conduta. Ela me evitava por causa da fealdade, mas também, concluí, depois de muito pensar a respeito, por causa da culpa que devia sentir, culpa da qual a própria fealdade dava testemunho.

Culpa de quê? Buscando resposta para essa pergunta eu lembrava algo que me contara, eu ainda criança: quando estava grávida de mim, costumava olhar a montanha, a pedregosa, escalavrada montanha que dominava a paisagem em nossa região desértica. Esse comentário, fizera-o em tom forçadamente casual, um tom destinado a mascarar a oculta inquietação, da qual sem dúvida não se dava conta — nem ela, nem, naquela época, eu. Mas tal inquietação, que eu agora em retrospecto detectava, era muito sugestiva, muito eloquente. Porque ali estava a explicação para a minha feiura: na montanha. Naquele hostil acidente geográfico que eu aliás conhecia bem: era um lugar no qual eu, menina esquiva, frequentemente me refugiava, movida talvez, agora me ocorria, por certa afinidade eletiva, os medonhos traços de minha fisionomia correspondendo, em escala reduzida, mas nem por isso menos atroz, à torturada paisagem. Uma protrusa rocha era o meu nariz; a escura entrada de uma das muitas cavernas correspondia à minha boca. Muitos veem faces em nuvens; eu via na montanha — monumento ao insólito — a reprodução de meu próprio rosto. As impressões que minha mãe tivera durante a gestação se haviam gravado de maneira indelével na face da filha. Filha esta que certamente não desejara; nessa época meu pai estava atrás de uma outra mulher. Emprenhara a esposa para que não atrapalhasse o ignóbil romance. Entre lágrimas, a desprezada grávida passava os dias olhando a montanha. Sabia que ali, oculto em uma caverna qualquer, estava seu fescenino marido trepando sem parar; queria pelo menos ir ao seu encontro quando ele, cansado e satisfeito, emergisse do esconderijo, para dirigir-lhe um olhar de censura. Até conseguiu esse objetivo, uma ou duas vezes, mas sem resultado algum: o homem estava cagando para a censura dela. A obsessiva vigilância teve, contudo, um inesperado efeito: a visão da montanha ficou impressa para sempre no meu rosto. Como aquelas mães que comem morango e o filho nasce com um sinal em tudo semelhante ao morango.

Inesperado efeito. Hum... Não sei se foi tão inesperado assim. Não teria, a minha mãe, sido guiada por um propósito oculto nessa obsessiva conduta? O cretino está me traindo, então vou me vingar dele deixando na cara do filho (era um varão que meu pai queria para primogênito; aliás, só queria filhos homens, mas Jeová o castigou dando-lhe três filhas, a primeira medonha) as mesmas marcas da crueldade que deixou em meu coração; e, com esse raciocínio, toca a olhar para as pedras. Que a criança nascesse medonha, era o que mais queria. Sua face, metafórica alusão à montanha onde meu pai pecara, se constituiria em permanente memento, em insistente denúncia, em contínuo protesto contra a fidelidade: um breve contra a luxúria, enfim. Deu resultado: nasci horrenda.

Que susto deve ter sentido meu pai quando me tomou nos braços. Que susto, que trauma.

A pergunta é: por que não me matou? Havia histórias, entre nossa gente, de pais que liquidavam recém-nascidas — jogando-as do alto da montanha, num abismo em cujo fundo, dizia-se à boca pequena, havia tantos ossinhos quanto calhaus. Uma primogênita era sempre um inconveniente, para dizer o mínimo: não garantia sucessão, não ajudava no trabalho e ainda precisaria de um dote para poder casar. Agora, uma primogênita feia era mais do que isso, era um descalabro cujo destino só poderia ser o precipício.

Meu pai não me matou. O motivo, não sei. Talvez sofresse, ele também, de culpa — culpa era o componente essencial de nossa tradição. Em todas as histórias que os idosos contavam, havia sempre um deus impiedoso nos acusando de alguma coisa. Afora isso, é bem possível que meu pai sentisse algum remorso porque, diferente de minha mãe, a outra mulher não mostrava por ele nenhum respeito, espalhara que não passava de um amante incompetente. De modo que aceitou a muda acusação representada pela cara da recém-nascida.

Fui crescendo, cada vez mais feia. E ignorante de minha feiura. Por falta do espelho, obviamente, mas essa falta eu podia ter suprido. Não faltam, na natureza, superfícies refletoras: uma poça d'água, por exemplo, faria as vezes de espelho, verdade que com o inconveniente da distorção (misericordiosa distorção, no meu caso) resultante da líquida ondulação. E os olhos dos outros, não poderiam ter me servido indiretamente de espelho? A expressão de assombro, ou mesmo de horror, que eu vi, ou julguei ter visto, na face de pessoas que me miravam, não teria sido aquilo um indício suficiente? Mesmo que fosse cega (e como desejei a cegueira, logo após ter me mirado no espelho), nada impediria que me desse conta da realidade. Bastaria que tocasse meu rosto, bastaria que o explorasse com dedos medianamente espertos para detectar de imediato grotescas angulosidades, assustadoras assimetrias. Mas nunca o fiz. Tenho belas mãos (aliás tenho belos seios, belos quadris — sou da variedade paradoxal conhecida como feia-de-cara-mas-boa-de-corpo), e essas mãos, como que movidas por vontade própria, recusavam-se a excursionar ao sombrio país da face. Eu tentava convencê-las: vão lá, mãos, descubram a boca, o nariz, não temam o desconhecido, ousem, o mundo é dos ousados, quem não arrisca não petisca. Mas as mãos eram mais inteligentes que sua dona. Não, diziam, vamos ficar na nossa, a cara não é a nossa praia, para lá não queremos excursionar, não há pacote turístico que nos convença; preferimos ficar por aqui, empenhadas nas tarefas do cotidiano, tais como cozinhar, lavar, limpar — ou, na melhor das hipóteses, acariciando os seios, essas belas e suaves ondulações com as quais temos afinidade. E assim as mãos se juntaram ao faz de conta, ao deixa-pra-lá, ao tudo-bem, ao vamos-levando; à conspiração do silêncio, enfim. Astutas mãos. Em nossa terra, amputá-las era uma punição comum para ladrões e pervertidos sexuais. Minhas mãos não tinham cometido crime tão grave, mas sua omissão era também censurável.

Que eu tenha chegado a meu décimo oitavo ano de vida para enfim poder diagnosticar minha feiura mostra o quanto o ser humano, com ou sem a ajuda de outros, é capaz de se enganar. E também mostra o quanto é forte a tentação da mentira piedosa. Minha irmã, por exemplo, não desistiu de consertar os desastrosos efeitos do incidente com o espelho. Na manhã seguinte veio falar comigo. Contou uma história tão bem-intencionada quanto mal enjambrada, uma história que seguramente lhe havia custado uma noite de insônia. Depois de um exame acurado, afirmou, tinha detectado falhas no espelho, falhas que antes não notara e que certamente haviam prejudicado em muito minha imagem. Eu não deveria, portanto, me preocupar, tudo o que vira não passava de uma errônea impressão que um espelho um pouco menos imperfeito se encarregaria de corrigir.

Tive de reconhecer: estava fazendo o possível e o impossível para me convencer. Mas não foi bem-sucedida. Tudo o que lhe sobrava em comiseração (e em culpa) faltava-lhe em habilidade para mentir: gaguejava, evitava me olhar. Para poupá-la, menti também. Nisso é que dá, proclamei, recorrer a espelhos de qualidade duvidosa.

— Eu sabia — anunciei, num tom muito mais convincente do que o dela —, eu sabia que não podia ser tão horrorosa.

Com o que sentiu-se aliviada, gratificada. Eu, não. Mentiras à parte, meu destino estava traçado. Agora eu era a feia, e tudo em minha vida seria condicionado por essa feiura. Homem algum gostaria de mim. Homem algum cantaria minha beleza em traços líricos. Minha vida amorosa seria tão árida quanto o deserto que nos rodeava.

Não nego: pensei em me matar. Tudo o que eu tinha de fazer era galgar a montanha e jogar-me no abismo. Meu corpo se despedaçaria contra as rochas; os abutres devorariam minha carne e minhas vísceras, meus ossos branquejariam ao sol no lugar que lhes havia, desde o começo dos tempos, sido destinado.

Não me matei. Não tive coragem, em primeiro lugar. Depois, o suicídio, além de malvisto (e é incrível como mesmo as feias incorporam os conceitos da cultura dominante), não resolveria meu problema: eu deixaria de ser feia viva, mas quem garantia que a feiura não comprometia também a caveira? Nada impediria que, no futuro, alguém, o membro de uma expedição arqueológica, desenterrasse o meu crânio e, fitando-o com espanto, dissesse a um companheiro: que coisa horrível deve ter sido essa mulher, isto não é rosto, isto é uma ofensa. A isenção científica não preclui o senso estético.

Não. Eu iria até o fim com a minha cara. Sozinha, decerto

— não aguentaria olhares de horror, de espanto, de tristeza, de comiseração —, mas iria, sim, até o fim.

Tornei-me uma eremita. Em tempo parcial, mas eremita. Dormia com a família, porque não havia outro jeito; porém, mal clareava o dia, corria para a montanha, até então refúgio das cabras que escapavam ao rebanho de meu pai (e, como eu disse, dele próprio, em certas circunstâncias). Ao contrário dos eremitas habituais, contudo, que apenas querem distância do resto da humanidade, eu estava em busca de alguma coisa. E quando a encontrei, logo soube que era aquilo o que procurava.

Uma pedra. Uma pequena pedra.

Diferente de outras pedras da montanha, aquela era lisa, suave ao tato. Tão lisa que chegava a surpreender: que erosão tinha domado a aspereza habitual?

Quem sabe não se tratava de erosão. Quem sabe era o trabalho de algum misterioso habitante da montanha, um gnomo ou bruxo, que polira pacientemente a antes áspera superfície, pensando, um dia a feia virá à montanha em desespero e então esta pedra lhe servirá de consolo.

Não sei. O certo é que a pedra — pelo tamanho, pelo formato ovoide, e sobretudo pela lisura — servia perfeitamente para o que eu queria. Essa pedra substituiria o amante que eu, feia, nunca teria. Introduzida na vagina, far-me-ia gozar.

Não deu outra. A partir daí a boa pedra me proporcionou muitos e muitos momentos de amargo e solitário prazer. Oculto sob outras pedras, essas de aparência comum, grosseira, o querido calhau aguardava por mim; impaciente, antecipando o momento de penetração em certa grutinha úmida; fremindo, sim, de prazer. Quê? Pensais que as pedras não sentem? Enganai-vos, homens e mulheres de pouca fé. As pedras sentem, sim, sentem muito mais do que certos humanos, os de duro coração e os outros. Só não manifestam seus sentimentos. Não gritam, não choram, não clamam aos céus. Mas reagem com gratidão à mão que as acaricia; armazenam a ternura como uma bateria armazena energia e depois a devolvem. No meu caso, no caso da minha querida pedra, generosa devolução, com juros e correção monetária. Que orgasmos, damas e cavalheiros. Que orgasmos. Verdadeiros terremotos corpóreos, terminando com um lancinante e mal contido grito.

Eu podia ter sido feliz assim, desde que tivesse renunciado ao mundo e a seus ardis. Mas não, eu não era imune às tentações. Acabei caindo na vala comum. Na vala comum dos sentimentos humanos, digo.

Apaixonei-me.

Havia um pastorzinho que trabalhava para o meu pai e que vivia a pastorear exatamente ali, nas trilhas da montanha. Todos os dias eu o avistava. Era um belo rapaz, alto, forte; numa voz muito bonita, entoava nostálgicas canções que falavam de amores impossíveis. Eu nunca lhe dera importância; em nossa aldeia tinha fama de esquisito. Os outros pastores debochavam dele, diziam que era um fodedor de cabras, o que até podia ser verdade: de alguma forma os solitários precisam apaziguar sua paixão, cabra ou pedra, tudo serve, quando a fantasia supera a triste realidade. Fantasia ou não, o certo é que o cara me parecia distante. Se havíamos trocado meia dúzia de palavras até então era muito.

Agora, porém, eu via o pastorzinho num outro cenário. E foi justamente esse cenário que começou a me dar certas ideias... Certas esperanças... Nós dois ali sozinhos, na montanha, será que ele não cederia à tentação? Sim, eu era feia, mas não mais feia do que as cabras que ele pastoreava, ainda que houvesse entre elas umas fêmeas muito simpáticas, de uma raça cujo nome já não lembro. Mas eu estava segura de vencer a concorrência. Pelo menos poderia corresponder a seus abraços. Pelo menos poderia murmurar-lhe ao ouvido ternas palavrinhas de amor, coisa que cabra alguma faria.

Um dia criei coragem e abordei-o: vem cá, vamos conversar. A princípio esquivou-se, disse que não podia, mas por fim acedeu ao convite: sentamo-nos e iniciamos um animado papo. Para minha surpresa, era um cara agradável. E curioso: quis saber o que fazia a filha de seu patrão refugiada na montanha. De imediato inventei uma história, bela história aliás. Contei que um anjo tinha me aparecido em sonhos trazendo uma mensagem do Senhor: eu encontraria o homem de minha vida nas sendas da montanha, apascentando cabras. Ele me ouvia, intrigado: não compreendia a insinuação, o tolo. Fui mais adiante. Mostrando-lhe a caverna, disse que aquele seria o lugar ideal para se viver um grande amor.

A reação dele foi surpreendente. A caverna, exclamou, dando um tapa na testa, como é que eu não pensei na caverna antes, sou muito burro mesmo, mas ela vai ficar contente com essa ideia. Ela quem, perguntei.

Ora, quem. Minha irmã, óbvio. A bela. A faceira. Sem que eu soubesse, sem que ninguém soubesse, de havia muito namoravam. Conquistara-a com o objeto que ela sempre ambicionara e que tinha sido minha desgraça: o espelho, por ele roubado — havendo oportunidade, os pastores não hesitavam em abandonar os rebanhos e partir para o assalto às caravanas que por ali passavam.

A paixão entre eles não se consumara por uma única razão: faltava-lhes um lugar onde pudessem, em segurança, encontrar-se. A caverna preencheria perfeitamente essa lacuna. Por isso, quando a mencionei, mostrou-se muito grato; contou-me toda a história, pediu-me que os ajudasse.

Concordei. Que podia fazer? Concordei. Renunciei instantaneamente à paixão, mas concordei.

Na mesma tarde, minha irmã subiu correndo o caminho da montanha. Como o namorado, agradeceu-me muito a ajuda que a eles eu estava dando: o Senhor te recompensará, garantiu-me, aqui na montanha encontrarás também o teu amado. (Quem? Quem, irmãzinha, quem? O liso calhau? Um bode velho? O anjo do Senhor? Ai, irmãzinha, poderias ter-me poupado de teus compassivos augúrios.)

Pediram-me que ficasse vigiando as sendas para que não fossem interrompidos — missão da qual me desempenhei muito bem. Fiquei de guarda diante da entrada da caverna. Lá no fundo — fazia frio no interior daquela cavidade — o pastorzinho tinha acendido uma fogueira. Tudo o que eu via era as silhuetas deles, recortadas contra as chamas e contorcendo-se na ginástica do sexo. E gemidos, e gritos, e risinhos... De minhas lágrimas, ninguém tomou conhecimento.

A coisa não terminou bem. Meu pai acabou descobrindo tudo; ficou furioso quando soube que a filha tinha sido desvirginada pelo empregado. Na qualidade de patriarca, reuniu a aldeia toda e fez um julgamento público sumário — um julgamento no qual ele foi o promotor e o juiz (advogado de defesa não havia; ninguém se atreveria a assumir esse papel). O infeliz pastorzinho foi considerado culpado e condenado. Receberia o tradicional castigo adotado pelas tribos do deserto: o apedrejamento. Providenciou-se imediatamente uma enorme quantidade de pedras da montanha. Amarrado a uma estaca, o rapaz era o fácil alvo dos calhaus que os homens da aldeia arremessavam com fúria. Eu olhava sem poder fazer nada, amparando minha pobre irmã que, aterrorizada, não sabia o que fazer. Por fim as pedras terminaram; quase morto, sangrando abundantemente, o rapaz foi desamarrado e expulso. Vai-te, proclamou meu pai, nunca mais quero te ver por aqui; se apareceres de novo serás apedrejado até morrer. Cambaleando, ele se foi.

Minha irmã consolou-se rápido, mesmo porque já estava de olho em outro pastor. Esperto, meu pai prometera a esse rapaz vinte cabras, com a condição de que assumisse a paternidade do bebê que estava por nascer. Os habitantes da aldeia também não lamentavam o castigo do transgressor, que, segundo eles, fizera por merecer. De modo que em breve ninguém falava mais nele, nem mesmo os seus pais.

A única que estava sofrendo — e sofrendo em silêncio — era eu. Com o pastorzinho, ia-se a minha esperança, absurda esperança que fosse, de amar e ser amada. Fiquei só, com minha pedra.

Mas era só o que eu fazia, masturbar-me?

Não. Não era só o que eu fazia. Ou melhor: era, sim, só o que eu fazia, até que o escriba se apiedou de mim.

O escriba era o único homem que meu pai respeitava. Por uma simples razão: só ele, entre nós, sabia ler e escrever. Não era, portanto, um empregado comum. Ganhava mais, tinha certos direitos; por exemplo, recebia mensalmente dez queijos de cabra, aquela tão valorizada iguaria. Mas suas atribuições também eram especiais. Ao escriba, meu pai entregava as missivas que vinham do rei. Eram raras, tais missivas, mas sempre urgentes: continham exigências taxativas. Cabia ao escriba respondê-las, uma tarefa que exigia dele não apenas o domínio da palavra escrita, mas considerável habilidade política: as relações do meu pai com a Coroa não eram das melhores. Competia também ao escriba manter uma espécie de contabilidade dos rebanhos e de outros bens de meu pai, e ainda dos tributos que o patriarca arrecadava. Na aldeia, o escriba era olhado com respeito e temor: consideravam-no uma espécie de mago.

Agora: era feio, o velho. Deus, como era feio. Diferença de idade à parte, em feiura nós nos equivalíamos. Daí talvez a ternura que por mim mostrava. Estava sempre me presenteando; um pão, um pedaço de queijo de cabra. E, sempre que podia, contava-me histórias: sabia tudo sobre o passado de nossa tribo.

Um dia, ele me chamou à tenda que lhe servia de escritório. Vem cá, disse, com ar misterioso, quero falar contigo.

Confesso que, no primeiro momento, pensei em sacanagem. Com um certo medo, mas também com certa excitação — teria chegado o momento em que a pedra seria substituída por um caralho, verdadeiro ainda que idoso? —, entrei na tenda, onde havia apenas uma mesinha e um banco rústico. Ali ficamos, os dois de pé, ele me olhando de maneira estranha. É agora, pensei, que ele vai me mandar tirar a roupa. Mas não:

— Vou — anunciou, em voz solene, se bem que um pouco trêmula — ensinar-te a escrever.

Aquilo sim, era uma coisa surpreendente, a coisa mais surpreendente que ocorrera em minha vida. Escrever era coisa para raríssimos iniciados, para gente que, por mecanismos obscuros, chegava ao domínio de uma habilidade que nós outros olhávamos com um respeito quase religioso. Além disso — mulher escrevendo? Impossível. Mulher, mesmo feia, era para cuidar da casa, para casar, gerar filhos. O que ele estava me propondo não chegava a ser uma transgressão, mas era algo fora do comum. Que poderia lhe custar caro. O que meu pai diria quando soubesse daquela proposta, era algo em que eu não queria nem pensar. Ele prezava o escriba, precisava do escriba, mas, sua autoridade posta em questão, não hesitaria em dar ao velho uma lição exemplar, tipo apedrejamento, ou pior.

E, contudo, o escriba falava sério. Queria, sim, ensinar-me a escrever. Por que, não sei. Por piedade, talvez: a pobre menina é feia, nunca arranjará homem, precisa de uma compensação, de uma via de escape para sua frustração. Ou por uma certa premonição — o futuro, como se verá, reservava-me uma surpresa que ele talvez estivesse adivinhando. Fosse como fosse, o certo é que me fez sentar à mesa, mostrou-me como usar o material de escrever, cálamo, tinta, pergaminho. Quando dei por mim, estava traçando a primeira letra do alfabeto — o alef, que é o começo de tudo.

Que emoção. Deus, que emoção. Eu olhava aqueles vacilantes traços com a satisfação de um artista contemplando sua obra-prima. Tinha conseguido algo com que nunca sonhara. Mais: naquele curto espaço de tempo eu mudara. Já não me sentia tão feia. Meu rosto continuava o mesmo, mas a sensação da fealdade intrínseca, a sensação que me acompanhava até durante o sono e se traduzia em pesadelos dos quais acordava gritando, essa sensação se atenuara consideravelmente. Eu agora era... feinha. Uma condição perfeitamente suportável e que, comparada ao que eu passara, representava até um estado de inesperado bem-estar, de felicidade, quase. Sentia-me leve, solta, como se o ato de escrever — uma letra, uma única letra — tivesse me libertado de um passado opressivo. Comecei a falar, compulsivamente, sobre minha infância, sobre as minhas fantasias, sobre minhas aspirações. Falava, falava. O escriba me escutava, sorrindo.

E então aconteceu: arrebatada de excitação — aquela coisa de escrever, por algum obscuro motivo, me despertava o desejo —, atirei-me em seus braços, ofereci-me a ele: que me possuísse, tinha direito. Repeliu-me delicadamente: não, não poderia ter relações comigo. Não achava justo aproveitar-se de meu reconhecimento, e, mesmo que quisesse fazê-lo, não o conseguiria; de havia muito não sabia o que era sexo. Sua ajuda não tivera segundas intenções; agira movido exclusivamente pela solidariedade, pela simpatia, pelo desejo de ensinar: estava velho, queria transmitir a alguém a sua habilidade de escriba e parecera-lhe que eu era a pessoa adequada.

Tudo muito nobre, mas eu suspeitava que no fundo ele não fosse tão desprendido. Mais de uma vez notara a expressão de rancor em sua face quando meu pai lhe dava uma ordem qualquer. Não estaria tentando subverter a ordem na família do patriarca, instrumentalizando a feia primogênita numa atividade reservada a homens, e só a alguns homens?

A mim pouco importava. Tendo descoberto o mundo da palavra escrita, eu estava feliz, muito feliz. Escondida na caverna da montanha (minha habilidade teria de ficar em segredo, conforme recomendação do próprio escriba), eu passava os dias escrevendo, à tênue luz de uma lamparina. Escrevendo o quê? Qualquer coisa. Pensamentos. Versos. Histórias, sobretudo histórias. Histórias que eu inventava e nas quais era sempre a bela heroína cuja atenção príncipes, encantados ou não, disputavam. Histórias verdadeiras, histórias de nossa gente, que o escriba me contava e que eu transcrevia no pergaminho. Falava de meu pai; um homem bonito e vigoroso, um líder que conduzia sua gente pelo deserto até o oásis junto à montanha: aqui construiremos nossas casas, aqui fundaremos uma grande cidade. Escrevendo sobre meu pai, eu, de algum modo, adquiria ascendência sobre ele; eu era uma mulher sábia e poderosa, ele um menino perplexo e assustado. Mas a narrativa ficou só no início; para nela prosseguir eu precisaria de seu apoio, que ele nunca me daria. Esta história está na minha cabeça, diria, enfurecido, só conto quando quiser.

A mim isso não importava. Bastava-me o ato de escrever. Colocar no pergaminho letra após letra, palavra após palavra, era algo que me deliciava. Não era só um texto que eu estava produzindo; era beleza, a beleza que resulta da ordem, da harmonia. Eu descobria que uma letra atrai outra, que uma palavra atrai outra, essa afinidade organizando não apenas o texto, como a vida, o universo. O que eu via, no pergaminho, quando terminava o trabalho, era um mapa, como os mapas celestes que indicavam a posição das estrelas e planetas, posição essa que não resulta do acaso, mas da composição de misteriosas forças, as mesmas que, em escala menor, guiavam minha mão quando ela deixava seus sinais sobre o pergaminho. Tratava-se de poder, de um poder que eu aos poucos ia assumindo. Uma experiência embriagadora que não podia partilhar com ninguém: minha mãe morreria de susto se soubesse, minhas irmãs se morderiam de inveja. A única pessoa a quem eu tinha vontade de contar o que acontecia era o pastorzinho. Diria a ele que minha vida tinha agora um sentido, um significado: feia, eu era, contudo, capaz de criar beleza. Não a falsa beleza que os espelhos enganosamente refletem, mas a verdadeira e duradoura beleza dos textos que eu escrevia, dia após dia, semana após semana — como se estivesse num estado de permanente e deliciosa embriaguez.

Sim, eu me sentia transportada para outro mundo, outra realidade. Tudo ficara esquecido. A pedra também? Sim, a pedra também, incrédulos. Pedra? Para que pedra? Para que fantasia, se a fantasia agora estava ao meu alcance, eu podendo criá-la a qualquer instante?

Pensar na pedra era algo que eu raramente fazia, mas que me dava remorsos — remorsos tão intensos que uma vez não pude resistir e fui ao esconderijo ver se ela ainda estava lá, no lugar em que eu a pusera. No primeiro momento, não a encontrei, e levei um susto. Alguém a levou, foi o que de imediato pensei. Mas quem? E por quê? A pedra — o formato ovoide, a lisa superfície — seria usada como objeto decorativo em alguma casa, ou teria outro propósito aquele, ou aquela, que dela se apossara? Mil coisas me ocorreram: a pedra chegando às mãos de meu pai e ele me chamando, furioso: reconheces essa pedra, e se reconheces, o que fazias com ela?

Não, não, ninguém tinha subtraído a pedra. Eu é que me enganara quanto ao lugar. Quando a encontrei cheguei a chorar de alegria: beijei-a, pedi-lhe perdão. E de repente, me deu certa vontade... Penoso dilema: de um lado, a pedra e o parco mas seguro consolo que me oferecia; de outro, minha nova condição de letrada, aparentemente incompatível com manipulações tão primárias. A tentação, contudo, era forte demais, e eu já ia ceder a ela — mas justamente nesse momento um grande alarido elevou-se lá de baixo, da aldeia. É o pastorzinho que está voltando, foi o que de imediato pensei, ele veio desafiar meu pai e a aldeia para me levar consigo, eu, a única mulher que realmente o amou. Movida por essa ideia maluca, joguei a pedra na caverna e precipitei-me montanha abaixo.

Não, não era o pastorzinho retornando. Era o emissário do rei que chegava, como o fazia periodicamente. Tratava-se sempre de uma grande ocasião: ao som de trombetas e tambores a caravana de camelos, escoltada por um nutrido contingente de soldados armados, entrava na aldeia, sendo recebida por frenéticos aplausos — que mal disfarçavam o generalizado temor: quase sempre o emissário era portador de más notícias. Ou vinha cobrar impostos atrasados, ou impor novas leis, ou recrutar jovens para a guerra. Apesar disso, meu pai exigia da tribo que tratasse o homem muito bem, com homenagens e oferendas. Não queria encrencas com a realeza, ele. Tal coisa poderia lhe custar muito caro.

Quando cheguei à aldeia, ofegante, o emissário — um homem gordo e suarento — descia, com muita dificuldade, de seu camelo. Cumprimentou a todos os que ali estavam e, depois de um instante de suspense, anunciou, solene, que trazia uma mensagem do rei. Como todos ali, pensei que se tratasse de um dos comunicados habituais, mesmo porque era a época de pagamento dos tributos. Enganava-me, porém. O pergaminho que o emissário extraiu de uma bolsa de seda finamente bordada mudaria minha vida.

Meu pai recebeu a mensagem e, como de costume, passou-a ao escriba, que a desenrolou e leu atentamente.

De imediato empalideceu, o que só fez crescer nossa apreensão: evidentemente era algo muito importante — e, pelo visto, fora dos padrões habituais, porque ele disse, numa voz quase inaudível, que precisava falar com meu pai a sós.

O emissário não gostou. Impaciente, avisou que, de acordo com as ordens do rei, tinha de retornar imediatamente.

— E com a missão cumprida — acrescentou, num tom de velada ameaça.

Meu pai e o escriba entraram na tenda deste e por algum tempo ficaram ali, fechados. Eu podia ouvir abafadas exclamações, mas não tinha a mínima ideia do que falavam. Finalmente, meu pai saiu. Veio em minha direção, olhando-me de maneira estranha, um olhar que expressava sentimentos contraditórios: alegria, mas também contrariedade e talvez até revolta. Tentou dizer-me algo, não conseguiu. Com um gesto raivoso, virou-se para o escriba, pediu-lhe que me transmitisse a notícia; em seguida afastou-se, levando consigo todos que ali estavam. Eu agora já não estava apenas intrigada — estava apavorada. Então, era a mim que aquela mensagem dizia respeito? Mas que interesse poderia ter eu, a feia, a insignificante, para o poderoso monarca que nos governava?

Vem comigo, disse o escriba, e introduziu-me na tenda. O que houve, perguntei, numa voz trêmula. Em resposta, estendeu-me o pergaminho, decorado com o vistoso selo do rei:

— Lê tu mesma. Agora já podes fazê-lo.

Li. E, num primeiro momento, não pude acreditar no que tinha diante de meus olhos.

"De acordo com a tradição e a lei", dizia a carta, "ficais intimado a ceder vossa filha mais velha como esposa ao rei, para que desta forma se consolide a aliança entre a casa real e a tribo que chefiais." A filha mais velha: eu. Eu fora escolhida para tornar-me mulher do rei. Eu, que nunca conhecera homem algum, eu, que poucos minutos antes estivera indecisa entre a masturbação e a sublimação, eu estava prestes a casar-me com o homem mais poderoso do reino. Do mundo, talvez. Eu não sabia o que dizer, não sabia se chorava ou se ria, não sabia se saltava de alegria ou se me atirava ao chão em pranto convulso. Eu estava ali, imóvel, paralisada.

Meu pai, que voltara à tenda, olhava-me em silêncio. Agora eu podia entender a confusão de sentimentos que dele se apossara e que seu olhar traduzia. De um lado, sentia-se gratificado, envaidecido. O casamento, como dizia a carta, era uma aliança política — e aliança com o rei era a coisa que todo chefe tribal almejava, ele mais do que todos, principalmente porque enfrentava múltiplas ameaças, externas e internas. De havia muito temia o ataque de tribos vizinhas, invejosas de nossas belas cabras e ovelhas. Por outro lado, sua liderança na tribo não era das mais sólidas; havia uma surda oposição por parte de muitos chefes de família, sem falar no aberto desrespeito de alguns jovens. O episódio do pastorzinho fora a gota d'água. Certo, tratava-se de um garoto meio perturbado — mas, em tempos pregressos, ninguém se atreveria a desvirginar a filha do patriarca, ainda mais na caverna usada por esse mesmo patriarca para suas escapadelas, essas também motivo de deboche. Aliado do trono, porém, ele passaria a gozar de proteção especial; seu status melhoraria, sem falar nas dívidas que certamente seriam perdoadas, ou pelo menos reescalonadas, com juros baixos, coisa de dois, três por cento ao ano, tudo dependendo, naturalmente, da conjuntura econômica. No palácio real, sua filha teria uma vida de luxo e conforto. Verdade, seria apenas uma a mais entre centenas de esposas e concubinas, e estaria presa pelo resto da vida naquela gaiola dourada, distante da aldeia, distante dele. O que não deixaria de sentir: afinal, eu era sua filha, ele tinha me criado e, apesar de nossas brigas, no fundo havia entre nós algum afeto, quem sabe até — feiura à parte — cumplicidade. Tudo pesado, porém, a ordem do rei resultava muito favorável para ele e, possivelmente, para mim.

Agora: havia um problema... Um problema potencialmente sério... E se o rei me recusasse? Se me mandasse de volta dizendo, feias não quero, essa mulher não é uma esposa, é um acinte, não recebo bagulhos como penhor de aliança? Aí estaria criada uma situação verdadeiramente difícil. Rei ou não, meu pai não poderia aceitar a devolução, que inevitavelmente se caracterizaria como ofensa, ou pior, como deboche — afinal, como filha, eu era produto dele, do patriarca. Manifestar seu protesto seria, contudo, uma coisa complicada. O que poderia fazer? Recorrer à desobediência civil, negando-se a pagar impostos? Ou, partindo para a franca rebelião, unir-se aos grupos rebeldes que — por enquanto poucos e esparsos — lutavam contra o poder central?

Questão espinhosa. Mas meu pai — por alguma coisa ele era o chefe, por alguma habilidade política — evitou antecipá-la. No momento a prioridade era acertar as coisas comigo, com sua filha. Claro que, como pai, poderia determinar que eu me submetesse à sua vontade, tornando-me esposa do rei. Mas esperava que eu concordasse, ou que, pelo menos, não criasse caso, o que seria muito desagradável e exigiria dele uma providência enérgica, talvez violenta — de todo modo pouco compatível com o clima alegre que, supõe-se, deve caracterizar um noivado. Olhava-me, pois, expectante: a bola estava comigo.

Naquele momento, o terror me invadiu. Senti-me de novo a criancinha que chorava à noite com medo do escuro. Se pudesse, me agarraria a ele em prantos e implorando, não deixes que me levem, por favor, quero ficar aqui contigo, com a mamãe, com minhas irmãzinhas. Mas eu não podia fazer isso. Queria poupá-lo, decerto — afinal, era meu pai —, mas não se tratava só disso, tratava-se do meu orgulho: de havia muito aprendera a conter minhas emoções. Já me bastava com ser feia; chorosa, eu ficaria um espanto. De modo que me limitei a responder, de forma seca e digna, que aceitaria suas determinações.

Era melhor do que ele poderia esperar, muito melhor. Abraçou-me, pois, emocionado. Não era o abraço que reservava às mulheres na caverna, mas era um abraço, de qualquer modo, e abraçados saímos para contar a todos a boa nova. Que naturalmente causou sensação: era uma grande distinção para a aldeia, aquela escolha. Todos vieram me abraçar. Eu sabia que tudo terminaria bem, sussurrou minha irmã. Fingia alegria, porém mal continha a inveja: para ela um pastorzinho comprado a vinte cabras, para mim, e de graça, um rei. Eu agora teria todos os espelhos que quisesse. Mais, poderia até me tornar bela — recursos na corte não faltariam para tal.

A partida ficou marcada para a manhã seguinte. Naquela tarde arrumei minhas poucas coisas e, pela última vez, subi à montanha, para de lá ver o sol se pôr sobre o deserto. Fui ao esconderijo, peguei a pedra e despedi-me dela: já não precisaria daquele dildo, que em tantas fantasias fielmente me acompanhara. Adeus, querida pedra, murmurei, comovida. Como derradeira homenagem, depositei-a no fundo da caverna que fora o cenário da paixão de meu pai e do pastorzinho, e também da minha própria paixão — pela escritura.

À noite quase não dormi, tamanha era minha inquietude. Só de madrugada, vencida pela exaustão, consegui conciliar o sono, e aí tive um sonho estranho. Estava num lugar desconhecido, um grande salão, que só podia ser o salão de um palácio real, tamanho era o luxo. Na parede do fundo, um imenso espelho. Corri a mirar-me nele; o que vi foi não a minha própria imagem, mas sim a de uma mulher muito diferente de mim: alta, bonita, de tez escura e sorriso enigmático. Eu queria perguntar-lhe quem era, o que fazia ali, mas não deu tempo: fui acordada bruscamente por meu pai. O emissário do rei estava pronto para partir, a caravana só aguardava por mim. Vesti-me às pressas, despedi-me rapidamente da família e pronto, no instante seguinte estávamos a caminho, rumo à capital. Uma longa e difícil jornada, não isenta de perigos: a miséria dos últimos tempos fizera crescer os assaltos e os ataques de bandos que se opunham ao rei.

Eu ia encerrada numa pequena tenda colocada no dorso de um camelo, pois sendo propriedade do rei ninguém podia me olhar. Teoricamente também não poderia olhar para nada, mas já no segundo dia cansei daquele esplêndido isolamento e descerrei as cortinas da tenda o suficiente para espiar sem ser vista. No começo, tudo o que eu via era o deserto; uma árida paisagem que me era, no entanto, familiar. No deserto eu nascera, no deserto me criara. O deserto era o meu chão, o meu lar. O lar que eu deixava para trás.

Aos poucos, o cenário foi mudando. Surgiam aldeias cada vez maiores, povoadas por gente de outras tribos, gente que eu não conhecia, vestindo roupas diferentes — tudo aquilo sendo para mim motivo de surpresa, e susto. Deus, como era grande o mundo. E como eu estava longe de minha casa! Então, no quarto dia de jornada, avistei, no caminho, uma figura conhecida, uma figura que fez meu coração bater acelerado: era o pastorzinho. Andava com dificuldade, mancando; e, pior, tinha o rosto deformado pelas pedradas que levara. Pobre pastorzinho, a que ficara reduzido pelo impiedoso castigo de meu pai! Tive vontade de chamá-lo, de convidá-lo a que se instalasse comigo na pequena tenda. Naquele ambiente de certo modo aconchegante se estabeleceria entre nós a intimidade que durante tanto tempo eu desejara. Conversaríamos muito, trocaríamos olhares; e quem sabe até-

Nem pensar. Eu agora pertencia ao rei, tinha de esquecer o querido pastorzinho. De mais a mais, talvez o rapaz não necessitasse de minha ajuda. Sim, fora humilhado e espancado e ignominiosamente expulso, mas em compensação agora estava livre, podia vagar à vontade pelos caminhos do mundo, podia namorar quantas moças (ou cabras) quisesse, enquanto eu estaria para sempre confinada ao palácio real. Nossos caminhos se separavam: de fato, o camelo sendo mais rápido, logo o trôpego pastorzinho ficou para trás.

À medida que nos aproximávamos do destino, assaltavam-me as dúvidas. Como seria o palácio? Como seria o harém? E — sobretudo — como seria aquele homem a quem em breve pertenceriam meu corpo, minha vida? Eu não tinha a menor ideia a respeito, mas a ansiedade deixava-me excitada. Era uma aventura, aquilo que eu ia viver, uma aventura que se renovaria a cada instante. Daí para diante tudo seria novo, tudo seria gratificante. Essa sensação se acentuava à medida que o caminho ascendia, à medida que nos aproximávamos da lendária capital. Para trás ficavam o deserto, a solitária montanha; para trás ficava meu passado. À frente estava meu futuro, dourado futuro. Uma madrugada acordei e lá estava, diante de meus olhos, Jerusalém, com suas torres, suas muralhas.

Jerusalém. Desde criança esse nome incendiava minha imaginação. Sobretudo porque eu lá nunca estivera. Meu pai falava de uma grande e bela cidade, um lugar onde se vivia intensamente. Eu e minhas irmãs ouvíamos essas coisas em deslumbrado, e resignado, silêncio. Pouca chance teríamos de fazer essa viagem quase mítica; a cidade real, a cidade do Templo, era um lugar para a peregrinação dos homens, não das mulheres. Felizes eram as filhas de Jerusalém, lá nascidas; as outras tinham de se contentar com os relatos dos viajantes. Mas agora eu ali estava, não como uma visitante qualquer, e sim como esposa escolhida pelo rei. Filhas de Jerusalém, eu tinha vontade de bradar, curvai-vos diante de mim.

A chegada da caravana provocou alvoroço. Nas estreitas ruelas que percorríamos, uma verdadeira multidão olhava-nos passar. E — não nego que o orgulho me invadiu quando o constatei — o motivo de tanto interesse, de tanta excitação, era a tenda onde eu estava. Todos sabiam que dentro daquela tenda estava a nova esposa do rei. Que por certo imaginavam bela e sedutora. Enganavam-se, mas de seu engano nunca se dariam conta, pois jamais me veriam. Do palácio real eu jamais sairia.

A esse palácio, imponente, luxuoso, agora chegávamos. Passamos os portões, guardados por sentinelas, entramos no pátio interno, e ali a caravana se deteve. O emissário do rei, com quem eu não havia falado durante toda a jornada, veio ajudar-me a descer e apresentou-me à encarregada do harém, que daí em diante cuidaria de mim. A mulher, grande, gorda e forte, com jeito masculino (quem sabe tinha participação nos prazeres do serralho), olhou-me, intrigada. Eu sabia o que estava pensando: Deus, é feia essa aí, é a mais feia da safra. Mas se pensou, não o disse, claro: daí em diante ninguém mais me chamaria de feia, eu agora era a mulher do rei. Limitou-se a saudar-me com algumas palavras convencionais e amáveis. Depois quis saber se eu estava muito cansada. Respondi que não, que a viagem fora muito boa.

— Então, podemos ganhar tempo preenchendo algumas formalidades — disse.

Explicou: como o harém era muito grande, havia necessidade de um sistema mínimo de registros, mesmo porque o rei pouco sabia de suas futuras esposas. Deu-me então um véu — meu rosto não poderia mais ser visto por homem algum, a não ser o rei, ou quem quer que ele autorizasse — e levou-me à sala do escriba-mor de Salomão, um encurvado ancião (eu começava a desconfiar que ler e escrever era ofício impróprio para menores) que, com ar ranzinza e voz fanhosa, indagou qualquer coisa que não entendi. Pedi que repetisse.

— Perguntei se és a novata! — berrou. Depois, contendo-se, deu-me as boas-vindas, indagou se podia fazer minha ficha, coisa de rotina — de novo tive de ouvir a história sobre o mínimo de organização necessário à administração de um harém tão grande, com tantas esposas e concubinas. Eu disse que sim, que estava à disposição para fornecer as informações que quisesse. Muito satisfeito, ele desenrolou um pergaminho sobre a mesa — a ficha —, pegou o cálamo, molhou-o no tinteiro e começou.

— Nome completo.

Eu disse meu nome. Ele seguiu perguntando: data de nascimento, filiação, nome de irmãos e de outros parentes, endereço para correspondência, essas coisas habituais, e outras não tão habituais, como preferências alimentares e cores favoritas. Também quis saber se eu cantava, dançava e declamava poesias. Pediu-me ainda para narrar, sinteticamente, meu último sonho, ou, caso não lembrasse, um devaneio qualquer. Fui respondendo enquanto ele, sentado à mesa diante de mim, escrevia laboriosamente. Notei que grafara mal a palavra "sonho" e, depois de pequena hesitação, mostrei-lhe o erro.

Olhou-me como se eu fosse um ser de outro planeta.

— Mas então sabes ler e escrever? — perguntou, assombrado.

Eu disse que sim, e contei como tinha aprendido, com o que fez uma longa anotação a respeito e passou a me olhar com reverência, mas também com alguma raiva, que não me passou desapercebida. Pois que me olhe com raiva, pensei. Daqui a pouco meu casamento com o rei estará consumado, poderei cagar na cabeça desse velho coroca.

Terminado o preenchimento da ficha, fui levada à sala do sacerdote, um membro da alta hierarquia do Templo, que me fez entrar e ordenou à encarregada do harém que nos deixasse a sós.

— Não quero ser interrompido — acrescentou, em tom severo.

Voltando-se para mim, perguntou se eu sabia por que fora trazida à sua presença. Respondi que esperava instruções a respeito da cerimônia que, na minha cabeça, deveria ocorrer ainda naquele dia, apesar de não estar vendo grandes preparativos para tal. Olhou-me, sempre com aquele ar de superioridade, e disse que não era bem aquilo. Em verdade, sua missão era outra. Tinha de certificar-se de que eu não era portadora de nenhuma lesão, de nenhum sinal de impureza — de lepra, enfim, aquela doença que tornava maldito quem a portasse. Eu teria, naturalmente, de me despir, mas não havia o que temer, pois estava diante de um santo homem, de alguém que havia muito se livrara da concupiscência. Não hesitei — ordens que vêm do alto não se discutem — e tirei a roupa. Ele me olhou de cima a baixo. Nada disse, por razões óbvias, mas eu sabia o que ele estava pensando: é boa de corpo, essa aí, o rei vai passar bem.

Examinou-me minuciosamente, e nada encontrou. Mas então lembrou-se de me mandar tirar o véu, que eu, mesmo nua, conservara, de acordo com as instruções da encarregada do harém. E aí estremeceu, claramente estremeceu, e não conseguia desviar o olhar da minha face.

Repulsa e fascínio, era o que eu via em sua expressão. Repulsa pela feiura, fascínio pelos sinais, aquele caleidoscópio cutâneo jamais por ele visto, aquele homem que em matéria de lesões de pele devia ser uma verdadeira enciclopédia. Pôs-se a estudá-los um a um, os sinais, fazendo anotações e desenhos num pergaminho. Eu deixara de interessar-lhe: o importante era aquela pequena verruga cuja forma lembrava-lhe vagamente um inseto que certa vez vira numa árvore junto ao lago da Galileia... Falava e anotava, anotava e falava. Por fim, cansada daquela história, pedi licença, vesti-me e saí — para grande decepção do sacerdote, que não concluíra suas anotações.

Fui conduzida ao harém, anexo ao palácio e deste separado por um pequeno pátio com palmeiras e fontes marulhantes. Como o palácio, o harém ultrapassava tudo que eu poderia ter imaginado em matéria de luxo. Um vasto pavilhão, ricamente decorado com cortinas de seda, vasos com plantas exóticas, macios tapetes. Até pavões, vaidosas aves, faziam parte do cenário.

E ali estavam, naturalmente, as mulheres. Foi um choque, quando as avistei. Claro, sabia de antemão que Salomão tinha um dos maiores haréns do mundo, mas uma coisa é saber, outra constatar com os próprios olhos. Deus, que imenso mulherio ali se reunia. Mulheres em profusão, mulheres em penca, mulheres a granel, mulheres para dar e vender, um despautério de mulheres, um dilúvio mulheril. Mulheres de pé, sentadas ou deitadas; conversando, rindo, sorrindo; mulheres meditativas e até (mas num único caso) em prantos. Mulheres comendo, mulheres tocando flauta, mulheres cheirando flores. Mulheres sozinhas; mulheres em grupos de duas, três ou mais. Mulheres em esquadrão, mulheres em formação de batalha, mulheres em linha reta, em círculo, em triângulo (isósceles ou escaleno), em retângulo. Mulheres gárrulas, mulheres sérias, mulheres agitadas, mulheres tranquilas. Quanto à beleza (e como não poderia eu notar esse item), havia-as esplendorosas, muito lindas, razoavelmente lindas, agradáveis. Mas feia, nenhuma. Nenhuma, mesmo. Talvez eu pudesse rotular um ou outro nariz como imperfeito, uma ou outra boca como mal desenhada, mas feiura como a minha, completa, definitiva, isso não havia. Eu era, ai de mim, a única.

Era fácil distinguir as esposas propriamente ditas das concubinas, que se vestiam de maneira mais simples e tinham um ar modesto (talvez um pouco zombeteiro, mas de qualquer forma a modéstia predominava). As concubinas, talvez por constrangimento, ignoraram minha presença. Mas as esposas, essas, miravam-me com atenção. Sem dúvida temiam que a recém-chegada pudesse tornar-se a favorita do rei. Mas — eu agora sem o véu — bastou-lhes uma rápida olhada para que se convencessem: não, eu não era inimiga. Na corrida pelo real coração, eu não estava na pole-position — ao contrário, largava muito atrás e já largava parada. Aliviadas, puseram-se a rir. Olhavam-me, olhavam minha cara, e — de onde saiu essa coisa? — riam. Risinhos, a princípio risinhos; logo, cacarejos, gargalhadas — deboche escarrado, total desrespeito; solidariedade, ça va sans dire, nenhuma. Olhem só esse bagulho, essa aí não foi parida, foi cagada, se eu sofresse do coração já teria morrido — e por aí afora.

Eu nada dizia. Podia ter reagido; mais — podia ter quebrado a cara de uma meia dúzia daquelas dengosas, porque o que me faltava em beleza sobrava em músculos, e muitas na aldeia haviam sentido o peso do meu braço. Mas eu não estava a fim de criar confusão. Não naquele momento, pelo menos. De modo que engoli minha raiva e me deixei conduzir pela administradora do harém, que tentava consolar-me como podia: não dá bola, essas aí são umas invejosas, só sabem gozar as colegas. Levou-me para um aposento onde várias escravas tomaram conta de mim, banhando-me, perfumando-me, e por fim vestindo-me como uma verdadeira odalisca. Quando terminaram, a mulher disse que eu me olhasse no grande espelho ali colocado. Vacilei; uma segunda desilusão frente à superfície polida me seria insuportável. Ela, porém, insistiu: venha, veja como você mudou.

Olhos fechados, pus-me em frente ao espelho. Respirei fundo, contei até três — e me olhei.

Bem, aquilo foi uma surpresa. Uma muito agradável surpresa. Realmente, as moças tinham feito um bom trabalho. As vestes de seda, semitransparentes, valorizavam-me o corpo, que, como eu já disse, não era dos piores; além disso, havia o véu, o espesso véu que me ocultava a face, dando-me um ar a um tempo recatado e sedutor. Grande sacada, aquele véu.

Perguntaram-me o que achava. O tratamento que me davam, devo dizer, era extremamente respeitoso — afinal, eu era uma esposa do rei. Eu disse que estava satisfeita, que minhas expectativas tinham, de fato, sido ultrapassadas.

— Muito bem — disse a encarregada do harém. — Se está tudo a teu gosto, peço-te que me acompanhes à sala do trono.

Chegara o momento, o grande momento. À medida que, seguindo a mulher pelos longos corredores, eu me aproximava da sala do trono, todo o resto, toda a minha vida até então, ia ficando para trás. Meu pai, minha mãe, a família, o pastorzinho, a pedra (pobre pedra), tudo agora era simples lembrança. Uma nova existência estava começando.

Finalmente, chegamos. As maciças portas, guardadas por soldados armados, estavam fechadas.

— Temos de esperar um pouco — disse a mulher.

Ao cabo de algum tempo, para mim insuportavelmente longo, as portas se abriram e um homem de barbas brancas, trajando luxuosas vestes, apareceu. Era um dos cortesãos.

— É ela? — perguntou, seco.

— É ela — respondeu a encarregada do harém. — Chegou há pouco.

Como parecia ser hábito naquele lugar, ele mirou-me com atenção. Obviamente tentava imaginar o rosto oculto atrás do véu. Mas logo desistiu:

— Bem. Entrem logo.

Entramos. O rei estava sentado no trono, usando a coroa e o manto real.

Ao vê-lo, uma vertigem se apossou de mim. Cheguei a cambalear; a encarregada do harém teve de me amparar para que eu não caísse.

Que homem lindo, Deus do céu. Eu nunca tinha visto homem tão lindo. Um rosto longo, emoldurado por uma barba negra (com alguns fios prateados), olhos escuros, profundos, boca de lábios cheios, nariz um pouquinho adunco — o suficiente apenas para dar-lhe um charme especial. E o porte senhoril, e o ar másculo... Lindo, lindo.

De imediato me apaixonei por ele. Uma paixão avassaladora, definitiva, a paixão que, eu tinha certeza, daí em diante governaria minha vida. Bendito o momento em que ele resolvera me chamar. Bendita a carta que me mandara. Bendita a boca que ditara as palavras daquela carta, bendito aquele homem, aquele lindo homem. Eu podia passar anos olhando-o, em muda adoração. Finalmente descobria o amor. O pastorzinho? Não, aquilo fora apenas um teste, um treino. Com ele, meu coração se preparara para o grande salto da paixão. Que estava agora tão próxima.

Salomão nem se dera conta de que eu estava ali, entregue ao que, depois descobri, era uma de suas atividades prediletas, a saber, julgar: decidir o que era certo e errado, o bom e o mau, decidir quem tinha e quem não tinha razão. Naquele momento estavam diante dele duas mulheres. Prostitutas, concluí de imediato. Eu nunca tinha visto rameiras em minha vida; tais mulheres não existiam em nossa aldeia — e caso se atrevessem a lá aparecer, meu pai as expulsaria, furioso, gritando abominação, abominação (ou talvez as encerrasse, para seu próprio desfrute, numa caverna). Mas não duvidei um segundo sequer de que aquelas mulheres fossem profissionais do sexo. O jeito como se vestiam, a berrante maquiagem... Putas, sim, indiscutivelmente putas. E feias. Não tão feias quanto eu, mas muito feias, mesmo assim, o que fazia supor parcos rendimentos e baixa categoria. Prostitutas uma estrela, no máximo. Talvez duas, com boa vontade. Bem, uma estrela para a mais alta, duas estrelas para a mais baixa, que tinha belos olhos. De todo modo, uma estrela e meia na média. Mas não era isso o que importava, seu ranking. O importante era que ali, na presença de um rei poderoso, de um rei detentor de mandato divino, estavam duas prostitutas. Que se sentiam perfeitamente à vontade no palácio real. Que falavam em altos brados, apontando-se dedos ameaçadores. Depois de algum tempo de gritaria, finalmente entendi o que se passava: cada uma se dizia mãe de uma criança recém-nascida, que um dos guardas, sem muito jeito, segurava ao colo. Tinham dado à luz ao mesmo tempo, um dos bebês morrera, mas algo de confuso acontecera e o resultado é que estavam ali, disputando o nenê.

A mim aquilo causava espécie. Então o rei, a quem estava afeta a administração de um país, usava seu tempo resolvendo questiúnculas de mulheres de má vida? Salomão, no entanto (ah, mas era lindo aquele homem), não estava nem aí para tais objeções. Pelo jeito, prostitutas e outras pessoas de baixa classe eram frequentadoras habituais da open house em que a sala do trono periodicamente se transformava. Mais, obviamente tinha prazer no que estava fazendo. Ouviu-as atentamente, fez três ou quatro perguntas (irrelevantes, no meu modo de ver, mas quem era eu para opinar sobre relevâncias?); depois ficou em silêncio, meditando. E, nesse momento, senti — e todos ali sentiram, acredito — que alguma coisa estava acontecendo. Algo tinha mudado. O ar estava denso, pesado, como saturado de invisível vapor. Era a sabedoria dele. Exalava sabedoria por todos os poros, impregnava-nos com sua sabedoria. O que dava uma sensação esquisita, uma espécie de cosquinha, que coisa gozada. Uma das prostitutas, a de uma estrela, até rascava as coxas com as unhas aguçadas. Tudo aquilo se constituía em prenúncio do que havia de vir: a sentença. Que Salomão enunciou na sua voz grave, pausada (Deus, que tesão me dava aquela voz, meu grelo vibrava em uníssono com ela). Num primeiro momento, a decisão soou surpreendente, cruel até: já que era impossível esclarecer quem era a mãe verdadeira, a criança seria cortada em duas, cada mulher recebendo uma metade. Todos estremeceram, os cortesãos se olharam, e ouvi um deles murmurar para outro a seu lado: essa não, o cara está dando uma de temerário, a coisa vai pegar mal no estrangeiro. Mas Salomão, muito seguro, chamou de imediato um soldado para cumprir a ordem. O homem veio, espada na mão. Momento de suspense, momento de extremo suspense, todos ali imóveis, respiração contida, um cortesão até tapando os olhos com a mão. Uma das mulheres, a de duas estrelas, ficou parada, em silêncio, como conformada com a sentença; mas a outra reagiu de maneira extraordinária. Correu para o soldado, agarrou-se no braço que já se erguia no ar, pronto para o golpe, e em voz estrangulada gritou, se é para matarem meu nenê, prefiro que o entreguem inteiro para essa aí. Grande comoção no recinto; Salomão então se pôs de pé.

— Para! — ordenou ao soldado, que se deteve, como que congelado. Dirigindo-se à mulher que havia gritado, proclamou: — És a verdadeira mãe, o grito que ouvimos foi o da tua maternidade. O filho é teu, podes pegá-lo.

O soldado, um tanto desapontado (pelo jeito seus planos de fatiar uma criança naquele dia haviam sido frustrados), entregou o nenê à mulher enquanto todos aplaudiam: palmas, gritos, assobios, um verdadeiro delírio. O rei, satisfeito, sorria. Tinha do que se orgulhar: acabara de dar uma prova concreta, palpável de sua sabedoria. A sabedoria cuja fama se espalhara pelo mundo e que o transformara numa lenda viva, no monarca dos monarcas.

Era diante desse rei que eu me encontrava. Claro que eu poderia ter me perguntado se aquilo que eu acabava de ver havia sido, de fato, uma demonstração de sabedoria. E se a mulher identificada como mãe tivesse emudecido de terror, como ficaria a pretensa prova de maternidade? Que recurso lhe restaria então, senão ir além com a sentença, permitindo que o soldado cortasse a criança em duas? Esse ato bárbaro aliás nem resolveria a questão; o rei ainda teria de decidir que metade caberia a cada postulante. Mesmo que o corte fosse longitudinal, nada garantiria a simetria: o fígado ficaria de um lado, o baço de outro, por exemplo, isto sem falar que as metades do cérebro não são iguais.

Mas isso não passava de hipótese. O certo é que Salomão acertara em cheio, e confirmara a sua fama de rei poderoso e sábio, dotado — era o que se dizia em nossa aldeia e em muitas outras — de poderes sobrenaturais: por força de sua vontade, conseguia deslocar-se instantaneamente para qualquer parte do mundo; entendia a linguagem dos pássaros, estes sendo os mais ágeis e bem informados seres da criação; e, graças a seu anel — o anel de quatro pedras preciosas que de longe eu avistava —, orientava a força e a direção dos ventos. Diante desse rei, desse homem cuja beleza chegava às raias do insuportável, achava-me eu, sua mais nova esposa; e breve estaria aninhada naqueles braços, breve encostaria o rosto naquele peito, breve beijaria aquela face, aqueles lábios, breve ouviria aquela voz murmurando a meu ouvido, vem, minha avezinha, vem para o ninho do amor. Ali estava eu, esperando o momento decisivo, o momento que dividiria minha vida em duas partes, uma sem importância, dura e áspera como (uma exceção apenas existindo, exceção essa, contudo, já esquecida) as pedras da montanha, um início de vida que fora apenas um pobre e desafinado prólogo para a sinfonia do amor, e a outra, a verdadeira e radiosa existência que se iniciaria em... Quantos minutos? Dez, cinco, um?

Salomão continuava ocupado. Era dia de audiência pública, o salão do trono estava cheio de gente, em sua maioria pessoas humildes. Astuto, ele fazia uma concessão semanal ao populismo. Ficou, portanto, resolvendo questões rotineiras, brigas de família, discussões sobre propriedades, enquanto eu, hirta, aguardava em meu canto.

Finalmente terminou de atender as pessoas. Estava visivelmente cansado, e certamente irritado, o que não era de estranhar, após a exaustiva agenda. Com um gemido — já não era tão jovem, provavelmente tinha problemas de coluna, ninguém passa o dia todo sentado impunemente, mesmo em magnífico trono — levantou-se e já ia sair quando um cortesão se aproximou dele e murmurou-lhe qualquer coisa ao ouvido. Sua primeira reação, notei-o com um aperto no coração, foi de contrariedade; resignada contrariedade, mas contrariedade.

— Chegou? Logo hoje, com todo esse movimento?

Suspirou.

— Deixa pra lá. Onde está o registro dela?

O registro? Primeiro o registro? Eu ali aguardando, eu, a esposa que viera de longe aguardando, e ele ia primeiro consultar o registro? Para outra aquilo representaria um golpe, um golpe demolidor; mas — a imensa capacidade que têm as feias de se enganarem — procurei convencer-me de que aquele devia ser um procedimento comum; setecentas esposas, trezentas concubinas, tinha o direito de obter algumas informações prévias acerca da mais nova integrante de seu harém: nome, idade, filiação, procedência, essas coisas. Seguro indicador, no entanto, de que sua vida conjugal tinha se tornado uma rotina monótona. Prometi a mim mesma, naquele momento, que comigo seria diferente: comigo a monotonia teria fim, comigo ele redescobriria o amor. Que se informasse a meu respeito, que memorizasse os dados habituais. Mas seria sua derradeira concessão ao padronizado, ao codificado, ao regulamentado. Logo depois, seria arrastado pelo vendaval da minha paixão e sua vida se transformaria numa vibrante desordem, numa alegre loucura.

— O registro! — bradou o cortesão. — Rápido, o rei quer ver o registro da novata!

De trás do trono saltou, com surpreendente agilidade, o velho escriba com quem eu antes tinha falado. Prestimoso duende, apresentou ao rei o pergaminho — aqui está a ficha, meu rei —, enquanto eu, mal contendo a ansiedade que o véu sobre minha face felizmente ocultava, aguardava ali, de pé, a uns cinco metros do trono.

Testa franzida, Salomão lia o documento. Seu problema evidentemente era lembrar: lembrar por que eu estava ali, a que acordo ou transação ligar-se-ia a minha presença no palácio. O que não estava sendo fácil; pelo jeito, o que lhe sobrava em sabedoria faltava-lhe em memória. Percebendo o que se passava o cortesão aproximou-se dele e murmurou-lhe algo ao ouvido. Com o que o rosto se lhe iluminou:

— Ah, sim... A filha daquele homem do deserto... Verdade, fiz uma aliança com ele. Quando foi, mesmo? Uns três anos, já...

O tom era de surpresa. Surpresa irritada, mas divertida.

— E só agora me manda a moça? Depois de todo esse tempo? Meu Deus. Pode-se acusá-lo de qualquer coisa, menos de pressa...

Como era sua obrigação, os cortesãos puseram-se a rir. Satisfeito com o êxito de sua espirituosa tirada, Salomão, ainda sentado no trono, entregou o pergaminho ao escriba e, sorrindo sempre, voltou-se para a esposa que acabava de receber — voltou-se para mim.

Era o momento decisivo e eu senti as pernas bambas e comecei a tremer e a suar, e só não desmaiei porque no fundo sou, acho, muito forte. Nada percebeu; nem parecia interessado; era só mais um casamento, depois de tantos. Limitou-se a me lançar um inquisitivo olhar:

— É essa, a minha nova esposa? Aproxima-te, quero te ver melhor.

Mobilizando todas as minhas energias, consegui dar um passo em sua direção.

— Chega mais perto — insistiu, bem-humorado —, não vou te morder.

Riu, sapeca:

— Ou melhor: vou te morder, sim, mas não agora.

Os cortesãos riram, essa é boa, ele vai morder, mas não agora, essa é boa, é muito boa. Quanto a mim, não ouvia nada, não enxergava nada, só tinha olhos para o lindo, tudo o que eu queria, naquele momento, era cair em seus braços desfalecida de pura paixão. Mas, dessa paixão, ele — obviamente embotado pela burocratização de um processo matrimonial mais parecido com uma linha de montagem do que com qualquer outra coisa — nem sequer tomava conhecimento. Seu olhar, enquanto me examinava, não era o olhar de um namorado ou de um noivo, nem mesmo o de um veterano marido. Era o olhar de um expert, de um serial husband; o que estava fazendo, naquele momento, era uma avaliação. Claro, não a avaliação desses fazendeiros que vão a feiras de animais comprar vacas ou ovelhas; não, era refinado demais para isso, e havia até certa simpatia naquele olhar. Mas avaliou-me, de todo modo, mirando-me de cima a baixo; pelo visto, não lhe desagradou o que viu. É boa de corpo, deve ter pensado. E bem queria eu que se detivesse nisso, que restringisse seu diagnóstico ao item curvas. Mas então, e como en passant, pediu que eu tirasse o véu.

Ah, por que foi fazer isso, por quê? Então o mais sábio dos mortais, o homem que falava com os pássaros, não sabia que há segredos que não se devem desvendar, véus que não se podem remover? Nada o teria impedido de incorporar-me a seu harém com o véu, coisa que até conferiria um certo charme — e grandeza — à coleção de mulheres: "Esta aqui eu chamo 'A misteriosa' porque nunca vi seu rosto, mas amo-a mesmo assim, amo-a loucamente, amo-a mais do que a qualquer outra porque o verdadeiro amor é assim, não se importa com aparências". Mas não, tinha de ceder à tentação do vulgar: recebida a mercadoria, queria examiná-la in totum, au grand complet. Renunciava à sua condição de rei para comportar-se como um lojista qualquer. Aquilo me deu tremenda raiva. Vontade eu tinha de agredi-lo, de cair em cima dele a tapas, gritando: estragaste tudo, seu merda, pensas que és sábio mas não és sábio porra nenhuma, não passas de um cara burro e vulgar. Mas eu não podia fazer isso. Ele era o rei e eu a obediente esposa, mais uma obediente esposa. Num gesto brusco, arranquei o véu e expus minha cara.

Estremeceu. Como o sacerdote que antes me examinara: estremeceu de espanto — de espanto, de horror, de tudo. Não conseguiu se controlar — a expressão de seu rosto traduzia claramente o que estava pensando, a mesma coisa que todos ali pensavam: Deus, o que é isso aí, o que é essa cara, essa mulher não pode ter sido destinada ao harém real, deve ter havido algum engano.

Conteve-se, porém. Afinal, ninguém chega a ser monarca poderoso sem um mínimo de habilidade política. Estava na frente da corte e tinha de preservar a imagem de governante isento, equilibrado, alguém que está por cima das coisas terrenas, essas coisas incluindo um lamentável rosto de mulher. Não deixou escapar nenhuma exclamação, não emitiu nenhum comentário. Contentou-se em chamar o cortesão de lado. Os dois trocaram algumas palavras em voz baixa. Eu não conseguia ouvi-los, mas podia adivinhar o que diziam. Ele: é um absurdo, como é que aquele homem me manda essa criatura, isso não é mulher, é um ultraje. O cortesão, embaraçadíssimo: mas é a filha mais velha, o cara está apenas cumprindo o que foi acordado.

Por um instante ficou em silêncio, cenho carregado, olhar perdido. Finalmente, voltou-se para mim. Visivelmente contrariado, e sem me olhar, escusou-se por não me receber mais condignamente — estava muito fatigado; mas eu seria acomodada no harém e no dia seguinte, ou daí a dois ou três dias, tudo dependendo da agenda, ele me procuraria.

— Quero dizer que és bem-vinda aqui — recitou, tentando parecer amável —, e merecedora de minha afeição, como as outras esposas, aliás, que agora vais conhecer. São numerosas, mas podes estar certa: há lugar para todas no meu coração. E um lugar especial para ti, claro.

Ou seja: o discurso convencional que, àquela altura, de tão repetido, já lhe saía automático. De toda maneira, cumprira sua obrigação. Não me abraçou, não me beijou — a tanto não o obrigava o protocolo —, mas conseguiu dirigir-me um sorriso, um meio sorriso, aquele sorriso do cara dividido entre a repulsa e o desejo de agradar. O que não era de admirar: dividir (soldado, corta a criança pelo meio) era, pelo jeito, uma fórmula a que recorria com frequência, decerto sempre com êxito. Dividia e conquistava. Dividia-se e conquistava.

Um cortesão adiantou-se e anunciou que a audiência estava terminada. Todos se curvaram. O rei Salomão levantou-se e com uma saudação quase imperceptível saiu pela porta lateral, que levava diretamente a seus aposentos.

Por um instante fez-se silêncio. Mirei os cortesãos. Alguns estavam sinceramente consternados. Outros, ao contrário, mal disfarçavam um sorrisinho sádico. E eu ali, naquelas vestes absurdamente luxuosas, o véu ainda na mão — fazendo o quê? Esperando o quê? Finalmente, um cortesão aproximou-se e disse que eu deveria me recolher aos aposentos das esposas: seguramente estaria cansada após a longa jornada.

Não ouvi o que ele dizia. Já não estava interessada. O que eu agora olhava era o trono.

Como tudo no palácio, aquele trono era magnífico, todo em

ouro e marfim. Ficava no alto de uma escadaria (doze degraus, um para cada tribo de Israel) guarnecida por esculturas de leões — cujas cabeças, o rei ausente, moviam-se lentamente, de cima para baixo, de um lado a outro, como advertindo a quem porventura ali aparecesse sem ser convidado: este trono tem dono, não te atrevas a cobiçá-lo ou serás devorado. Eram famosos, aqueles leões; até na aldeia falava-se deles: os leões de Salomão vão te comer, era uma comum ameaça das mães aos filhos desobedientes. Dizia-se que eram criaturas sobrenaturais, geradas pela mágica de Salomão. Mas não passavam, como vim a descobrir depois, de feras mecânicas. Para que se movessem, um servo, oculto no porão, acionava engrenagens, aliás boladas pelo próprio Salomão. Falar com pássaros ele talvez não falasse, mas que tinha um talento para a mecânica, sobretudo a mecânica do ilusionismo, ah, isso tinha.

Eu olhava o trono, a amargura crescendo dentro de mim. E então, possuída de súbita raiva, ou de desespero, galguei, num impulso, os degraus. Mas antes que chegasse ao topo, alcançou-me um cortesão que dali me arrancou à força.

— Estás louca, mulher? — gritava, furioso. — Sentar no trono do rei, estás louca?

Mas era exatamente isso o que eu queria, sentar no trono do rei Salomão: uma bizarra, grotesca e inócua tentativa de ascender ao poder. Não era a mim própria, contudo, que eu queria entronizar, e sim a minha feiura. Eu a queria cortejada, homenageada, glorificada. Queria a feiura dando ordens, queria a feiura julgando — cortem-no pelo meio —, queria a feiura fazendo preleções, queria a feiura cagando regras. Queria a feiura reinando como reinava Salomão. Queria a feiura reconhecida, homenageada, cultuada. Queria a feiura poderosa a ponto de se tornar beleza.

Mas esse minigolpe era apenas parte de meu objetivo. No fundo eu queria Salomão, queria o meu homem. E, já que não pudera abraçá-lo e beijá-lo, queria ao menos sentar onde estivera sentado. Queria sentir o restinho de calor por ele deixado no assento. Queria que me penetrasse, a sutil emanação, que me impregnasse, que me fecundasse, senão literalmente, ao menos metaforicamente. Era Salomão, esse calorzinho; era uma parte de sua aura, a aura mágica que se irradiara tão longe que chegara a plagas tão distantes; nessa aura, nessa cálida atmosfera eu queria gravitar para sempre, nem que para tanto tivesse que nela dissolver-me. Renunciaria à minha individualidade, sim, desfar-me-ia em moléculas, desde que tais moléculas, agitadas pelo calor de Salomão, pudessem com ele em harmonia vibrar.

O cortesão, que não estava nem aí para tais complexas aspirações, fez-me descer a escadaria, entregou-me à encarregada do harém. Sem maiores cerimônias — àquela altura todos ali já estavam vendo que eu não era forte candidata a favorita do rei — a mulher agarrou-me pelo braço e me levou, ou melhor, arrastou, ao longo de corredores em direção ao dormitório das esposas. Os guardas abriram as portas.

— Esta é a tua nova morada — anunciou a mulher, não sem certa azeda ironia. — Aqui passarás o resto dos teus dias.

Era um vasto salão todo ornamentado com cortinados, dosséis e vasos de flores e iluminado por muitos archotes. Dispostos em fileira, dezenas de leitos muito confortáveis, numerados de um a setecentos (de novo: notável organização). As mulheres já estavam todas ali, algumas deitadas, outras entregues aos cuidados das escravas, várias reunidas em grupos, conversando. Fez-se silêncio à medida que eu, conduzida pela encarregada, ia avançando pelo vasto recinto. Silêncio hostil, silêncio desdenhoso, silêncio irônico, silêncio perplexo, àquele silêncio eu já estava habituada. A beleza faz falar, a beleza arranca das pessoas exclamações entusiastas. A feiura cala.

Tu vais ficar aqui, disse a encarregada, indicando-me um leito. Olhou-me, como a esperar alguma reclamação. Àquela altura eu já tinha optado por outra estratégia: faria de conta que tudo estava ocorrendo conforme o previsto, que eu estava simplesmente ocupando o lugar que me cabia como nova esposa de Salomão. De modo que pus-me a elogiar o leito, aliás largo e confortável. Mas então avistei, sobre o chão de mármore, um par de sandálias. Perguntei a quem pertenciam.

— Eram da mulher que dormia aqui — disse a encarregada do harém, em tom casual. — Morreu, coitada.

E acrescentou com um sorriso irônico, o sorriso que expressava sua própria raiva, a raiva de quem cuida dos leitos mas neles não pode deitar.

— Aqui no harém também se morre.

Aquela foi a gota d'água, a culminância de amargas frustrações. Por que tinha de tocar-me o leito de uma morta? Por que tinha eu de dormir no lugar onde outra sonhara (e com que sonhara, eu sabia exatamente: com o corpo de Salomão, com os beijos de Salomão), por que teria eu de herdar ilusões bruscamente desfeitas, por que teria de conviver com a lembrança da finitude, com a dolorosa consciência de um tempo que rapidamente se escoava — sem que eu tivesse conseguido acesso aos braços de Salomão? Por que não me davam logo um caixão de defunto, uma urna funerária? Por que não me matavam de imediato?

Comecei a soluçar baixinho. As mulheres, e tenho de reconhecer que nisso foram sensíveis, fingiam não ver. Já a encarregada do harém, mãos nos quadris, observava-me em silêncio. Quando por fim me acalmei, fez menção de ir-se, mas eu a detive. A custo contendo a impaciência, perguntou se eu queria mais alguma coisa.

Sim, eu queria. Queria saber quando seria o casamento. Ela arregalou os olhos, surpresa.

— Casamento? Que casamento?

— Meu casamento com Salomão — balbuciei. — Quando será?

Ela não pôde disfarçar um sorriso.

— Mas tu já estás casada, querida. No momento em que o escriba preencheu o pergaminho com teus dados, teu casamento se consumou. Agora és esposa do rei.

Então era aquilo: eu estava casada. Sem cerimônia, sem banquete — mas casada. Teria sido assim com todas as que estavam ali? Provavelmente não; seguramente, o casamento de algumas, ou de muitas, tinha sido marcado por uma festança ou no mínimo por uma festinha. Mas quem era eu para merecer celebrações? A feia filha de um patriarca de aldeia distante não justificava tal esforço, tal gasto de dinheiro e de energia.

— De agora em diante — prosseguiu a mulher — tua rotina será a de todas as esposas. Vais levantar pela manhã — cedo, porque o rei não gosta de preguiçosas; farás ginástica para manter o corpo jovem e flexível. A seguir, uma escrava virá lavar-te, pentear-te, vestir-te, adornar-te. Farás uma refeição — tua alimentação será rigorosamente controlada — e ficarás à espera.

— À espera de quê?

Havia ansiedade em minha pergunta, uma ansiedade que não pude ou não quis disfarçar, esperando talvez que a mulher se deixasse contagiar por tal ansiedade, que partilhasse um pouco de minha aflição; que me consolasse dizendo, o rei te ama, sempre te amou, sempre sonhou contigo, eras a mulher que aparecia em suas visões mais esplendorosas; sabia de tua existência muito antes de nasceres, na verdade és um produto da mágica dele, foi ele quem convocou, de muitos lugares da Terra, as partículas que, reunindo-se no útero de tua mãe, a ti deram origem — ele vem te preparando desde sempre para seres a grande mulher de sua vida. Mas, se adivinhava ser essa a resposta a que eu almejava, fingiu ignorá-lo: para compreensiva ou bondosa não servia. Limitou-se a dizer, num misto de estranheza e enfado:

— Como, à espera de quê? À espera de que o rei te chame, ora essa. Tu agora vives para o rei, e só para o rei. O resto não interessa.

Fez menção de ir-se embora, mas eu a detive, numa última, desesperada tentativa.

— E quando é que ele vai me chamar?

Deu de ombros.

— E eu sei? Ninguém sabe, minha cara. O rei te chamará quando lhe der vontade, quando lembrar de ti. Pode ser amanhã, pode ser na semana que vem, pode ser daqui a dez anos. São muitas, sabe? As setecentas esposas, mais as trezentas concubinas, mais os casos eventuais... Muitas. Nem mesmo o rei dá conta do recado. — Sorriu. — Ele é muito poderoso, ele fala com os pássaros... Mas ao fim e ao cabo é apenas um homem, sabe como é? A tesão dele não é infinita.

De novo quis ir-se, de novo a detive, porque dessa vez a pergunta era decisiva, representava a dúvida mais crucial que eu já experimentara.

— É possível — a angústia me subindo pelo peito, uma angústia insuportável — que ele nunca me chame?

Pensou uns instantes. Uns instantes nos quais sem dúvida saboreou meu sofrimento. E aí respondeu, com um sorriso quase imperceptível, um sorrisinho bem malandrinho.

— Hum... Acho que isso jamais aconteceu. Mas não é impossível que aconteça. Mesmo porque...

Conteve-se. Mas eu sabia como terminava aquela frase: mesmo porque és muito feia, e as feias têm destino incerto. A mulher, contudo, não era burra. Eu era esposa do rei, e nessa condição detinha poder; migalha de poder, mas poder, e com o poder ela não compraria uma briga. Tripudiando como tripudiara, tinha chegado a um perigoso limite. Era bom não brincar comigo. Se eu, enlouquecida, subira os degraus do trono, bem poderia, igualmente enlouquecida, subir em cima dela. De modo que optou por animar-me. Inclinou-se para mim e sussurrou, num tom que se pretendia amistoso, solidário:

— Não esquenta, querida, o rei vai te chamar.

Despediu-se e saiu. Em seguida, uma escrava se aproximou: vinha preparar-me para a noite. Tentei fazer-lhe perguntas, mas ela sacudiu a cabeça: não responderia. E, abrindo a boca, mostrou-me a razão: tinham cortado a sua língua. Seguramente por falar demais, por revelar segredos do harém. O que se passava ali não podia sair do palácio. Em silêncio, a moça lavou-me, penteou-me, tirou-me a roupa, colocou-me a camisola, ajudou-me a deitar e se foi. Os archotes se apagaram, o recinto ficou totalmente escuro.

Cansada, eu não conseguia, contudo, dormir. Por causa dos cochichos e dos risinhos e das palavras à meia-voz. Eram as mulheres que confabulavam. Sentadas nas camas trocavam opiniões, intercambiavam pareceres. E de que falavam? Ora, de quê. De que falariam, senão da novidade do dia: a chegada da novata? A feia era o objeto de todos os comentários, irônicos e até agressivos: Deus, o rei deve estar por baixo para aceitar uma mulher dessas, onde é que já se viu, essa aí baixa o nível do harém, pensar que este já foi o melhor conjunto de mulheres do Oriente Médio.

Não preguei olho toda a noite. Mas então começou a amanhecer, e de longe ouvi o canto de alguém, alguma camponesa que ia ordenhar as vacas; e esse canto era tão simples, tão melodioso, que me arrancou sinceras lágrimas. Chorei muito, cabeça enterrada nas almofadas, e aí me senti melhor, disposta a enfrentar com resignação o meu destino.

Tal como dissera a mulher, não havia muito a fazer, ali no harém. A gente podia comer, podia dormir, podia banhar-se, podia passear no jardim, um belo jardim com muitas flores e fontes murmurantes; ah, sim, e a gente podia conversar, mas comigo ninguém falava, continuavam me olhando de modo estranho, as mulheres. Assim passou o primeiro dia; o rei não me chamou.

No dia seguinte também não me chamou. Nem no terceiro dia, nem no quarto. Comecei a me inquietar — e a me irritar. Que raio de casamento era aquele, eu me perguntava. Porque, afinal de contas, era, sim, um casamento. Um casamento sem cerimônia, um casamento pro forma, um casamento que representava apenas a admissão ao real consórcio das esposas; mas casamento, de toda sorte. Eu não estava pedindo nada de mais ao exigir que o rei, meu esposo, cumprisse com suas obrigações matrimoniais. Certo, eu esperava mais do que o cumprimento de um dever; esperava mais do que um razoável desempenho na cama; esperava viver instantes de encantamento, de magia: expectativa multiplicada por minha ingenuidade, por minha inexperiência. O que sabia eu de sexo? Nada. Todo o meu passado, nesse sentido, se resumia a fantasias. De prático, só as manipulações com a pedra — que eu agora lembrava até com certa saudade. A nossa vida sexual, a minha e a da pedra, fora tão satisfatória quanto possível. Talvez — tratava-se de rocha vulcânica — a lava de que era formada contivesse minúsculos resíduos fósseis de mamífero ou réptil ou mesmo insetos, colhidos pela erupção no momento em que se preparavam para a reprodução, a derradeira ânsia dessas vidas bruscamente atalhadas estando de algum modo preservada no mineral como fonte de tênue mas constante energia libidinal; e essa energia, mobilizada e potencializada por rítmico movimento, teria desencadeado os súbitos e explosivos orgasmos que até então se haviam constituído na minha única, mas memorável, experiência em matéria de sexo. Salomão, o belo Salomão, o altaneiro Salomão, seguramente se sairia melhor do que a enigmática pedra. Quando falavam na sabedoria dele, eu entendia uma sabedoria completa, abrangendo todo o conhecimento e toda a prática da vida; ou seja, para mim, em termos de sexo, ele tinha o curso completo, com especialização, mestrado, doutorado. Ele devia ser um daqueles iniciados na mágica arte do amor, não apenas por causa de sua vasta prática (setecentas esposas, trezentas concubinas, aquilo não era pouca coisa), como também pelos subsídios que decerto recebia — para que falaria com os pássaros, infatigáveis viajantes, senão para isso? Vinha uma andorinha e lhe dizia, Salomão, meu querido, nem imaginas o que estão fazendo no Oriente em matéria de posições, temos muito que conversar a respeito; vinha um corvo e lhe segredava, Salomão, conheço um bruxo que faz uma poção afrodisíaca fora de série, é o último grito no assunto. Ou seja, eu o imaginava não apenas como o rei de Israel, mas principalmente como o rei da alcova, o grande fodedor do mundo conhecido e talvez desconhecido. Não via a hora de dividir o leito com ele.

Nessa ardente expectativa, eu não estava só. Partilhava-a, ainda que a contragosto, com todas as outras mulheres. Ali no harém a ansiedade estava no ar, espessa, quase palpável. Visível: em testas franzidas, em bocas entreabertas, em esgares diversos. Audível (sobretudo à noite): gemidos, suspiros. E perceptível até ao olfato: o crônico mau hálito que empestava o ar. As esposas tentavam neutralizar essa ansiedade de várias maneiras.

Algumas cantavam em coro, outras bailavam, outras ainda exercitavam a expressão corporal. Mas por vezes a angústia se exteriorizava de forma dramática. Mulheres se levantavam no meio da noite gritando, saíam a correr como loucas por entre os leitos; tinham de ser contidas, amarradas até. E as brigas! Não era raro que se agarrassem, rolando pelo chão, golpeando-se, mordendo-se, gritando de fúria.

Mas não eram chamadas, as mulheres? Eram. De repente — podia até ser no meio da noite, frequentemente era no meio da noite — vinha a encarregada do harém, dirigia-se a uma delas, murmurava-lhe algumas palavras ao ouvido ou fazia-lhe um simples sinal. Pronto: depois de devidamente preparada — havia camareiras e maquiadoras em plantão permanente —, lá ia a escolhida, exibindo um sorriso radioso e distribuindo olhares vitoriosos à direita e à esquerda. Mas, e esta era a grande pergunta, como tinha sido escolhida, por que razão tinha sido escolhida?

Não havia resposta definida para tal indagação. Não apenas inexistia uma escala de esposas (e de concubinas), como também não se sabia o que levava o rei a escolher tal ou qual mulher. Nisso, seus desígnios pareciam tão misteriosos quanto os de Jeová; e talvez fosse essa exatamente sua intenção: tornar-se, por insondável, tão poderoso quanto a divindade. Mas ele não era Deus. Seus desejos não estavam associados à onisciência e à onipotência divinas; ao fim e ao cabo, não passava de um homem; rei, sábio, mas homem. Baseada nesse raciocínio, e depois de pensar muito — tempo para pensar era o que não me faltava —, fiz uma lista de possíveis critérios de seleção:

a) atributos físicos: "Hoje quero uma morena não muito alta nem muito baixa, com seios grandes e quadris largos...";

b) atributos psicológicos: "Gostaria de uma introvertida. Não deprimida: reservada, apenas. Daquelas que pensam muito e que guardam segredos em seus corações...";

c) fatores políticos: "Minha aliança com aquele reizinho está fracassando. Me tragam a filha dele. Em homenagem ao pai, vou satisfazê-la...";

d) preferências artísticas: "Tragam-me aquela que canta muito bem...";

e) visão regionalista: "Quero uma do Sul. Faz tempo que não passo por aquelas bandas...";

f) seleção errática: "Entrem lá, tragam-me a primeira que encontrarem".

Escusado dizer que não tinha com quem discutir tais critérios — muito menos com o rei. Agora: supondo que ele me chamasse e me perguntasse, tu, que és novata, que te parece sobre a maneira como seleciono as mulheres ao leito — se isso acontecesse, eu teria a oportunidade de fazer uma brilhante exposição sobre o tema. O resultado seria um só: diante dessa demonstração de inteligência, de cultura, de sabedoria mesmo, ele exclamaria, não preciso mais de critério nenhum, fodam-se os critérios, acabei de encontrar minha amada, e mulher que está à minha altura, ela será a minha eterna companheira. Sonho, devaneio? Certamente. Mas que podia eu fazer, senão sonhar, devanear?

As mulheres faziam o que podiam para serem chamadas. A maioria apostava na aparência, que era constantemente e diligentemente trabalhada, produzir-se sendo a diretriz máxima. O harém era uma verdadeira usina de beleza. Escravas corriam de um lado para outro com toalhas, bacias, pentes, espelhos, frascos de perfumes e cremes. Mulheres banhavam-se, penteavam-se, maquiavam-se, perfumavam-se, em meio ao vozerio, penteia aqui em cima, bota mais carmim, tira essa merda de creme daqui, estou horrível, horrível, horrível. Horrível, horrível, horrível? Diziam isso? É: horrível, horrível, horrível. Mas era sempre figura de retórica, exagero nascido de alguma fútil, minúscula contrariedade. Horrível ali, só eu. Horrível, horrível, horrível? Só eu. E isso que também eu me maquiava e me perfumava. O que podia fazer? Ficar sentada, curtindo a minha feiura? Não. Eu tentava. Nem que fosse para passar o tempo, tentava ficar bela. Com a ajuda da silenciosa e resignada escrava muda, eu tentava. Sem muito resultado (a pobre moça ficava em lágrimas ao constatar os escassos resultados de nossas empreitadas embelezadoras), porque minha cara desafiaria até o mais competente dos esteticistas. Mas tentava, de toda maneira. Tempo integral e dedicação exclusiva, porque a regra era: manter-se pronta para o chamado do rei. Chamado absolutamente impositivo: mulher convocada tinha de ir de qualquer jeito. Nem doença era desculpa, como uma vez constatei: foi chamada uma mulher que estava de cama, com uma febre qualquer. Ela pôs-se a chorar, desesperada: tanto tempo ansiara por aquele momento e agora que chegava a sua vez estava enferma, impossibilitada de atender ao desejo do rei, e ainda por cima, abatida, desfeita. Mas a alegação não foi aceita; veio o médico do harém, examinou a coitada, deu-lhe um remédio qualquer e declarou-a em condições. Mesmo porque havia, naquele caso, certas injunções. O pai da moça, distante potentado, desafiara o rei, e este queria mostrar que, literalmente, estava por cima.

Minha vez não chegava. Os dias se sucediam, e minha vez não chegava.

Para matar o tempo, comecei a explorar o palácio — isto é, os locais permitidos, que, fora o próprio harém e seu jardim, eram dois. Um, o pavilhão dos filhos e filhas: centenas de crianças e jovens, ali. De acordo com uma disposição do rei, tinham de ficar separados. Até uma certa idade, a mãe podia cuidar da criança; depois, voltava à sua condição de mulher disponível cem por cento do tempo, e a tarefa de criar os meninos e meninas ficava a cargo de escravos e preceptores. Era um pavilhão enorme, aquele, maior inclusive do que o pavilhão do harém, mas austero, sem nenhuma decoração. Triste ambiente. Tristes eram os olhos postos em mim. Sofriam mais do que eu, aquelas crianças. Pelo menos eu tivera um pai presente. Safado, mas presente. De que adiantava àqueles infelizes serem filhos de um rei poderoso e sábio? De nada. O rei falava com os pássaros, mas não falava com eles. Verdade que não falava porque não tinha tempo, reinar é uma tarefa absorvente, desgastante; mas o resultado final é que se sentiam órfãos. Órfãos, mas não cegos. Certa vez, tentei acariciar o rosto de um garotinho e ele não deixou: não me toca, feia, não me toca. Saí de lá furiosa — e triste: até mesmo a infelicidade triunfava sobre a feiura.

Igualmente deprimente foi a visita ao pavilhão conhecido como Retiro. Para ali eram levadas as velhas esposas e concubinas — "velha" significando a mulher que chegava à menopausa (pelo menos para isso havia um critério). Eram poucas, as moradoras do Retiro; segundo ouvi de uma escrava, depois que vinham para ali não duravam muito, todo dia enterravam alguma. Agora: nenhuma delas havia sido esposa ou concubina de Salomão, homem relativamente jovem; não, o grupo era uma herança que recebera do pai, o rei Davi, e da qual prometera cuidar, o que fazia até com certa dedicação; nunca vinha ao harém, mas ao Retiro comparecia regularmente. Não para trepar, naturalmente, o que teria inevitável conotação edipiana, mas para conversar, para ouvir histórias de um genitor que — e disso ele próprio não escapava — fora uma figura distante, sempre às voltas com os negócios da Coroa. As velhinhas, contudo, gostavam dessas visitas, que lhes permitiam gratas reminiscências: "Teu pai era um grande fodedor, meu rei. Uma vez ele se apaixonou pela mulher de seu oficial, o hitita Urias..." — e aí Salomão tinha de ouvir pela milésima vez a história de Davi e Betsabá.

Se o clima emocional do harém era de ansiedade, no Retiro predominava a melancolia. Vivemos de lembranças, suspiravam as idosas, e essas lembranças não eram sempre agradáveis. Todas tinham passado ao menos uma vez pelo leito real. Para uma, essa fora uma ocasião gloriosa; para outra, prazenteira; para uma terceira, prazenteira e gloriosa a um tempo. Algumas, verdade que poucas, lembravam o momento com raiva, com tristeza, com decepção; era o caso da mulher que todas ali conheciam como a Virgem Caduca. O problema com ela era exatamente esse, nunca tinha sido desvirginada; os motivos para isso eram obscuros, mesmo porque, sendo muito velha, já não dizia coisa com coisa — daí o apelido. Mas, sempre que se referia ao assunto, era para se queixar: aqui estou eu, com esse hímen que já virou pedra — quem é que vai fazer alguma coisa por mim?

Hímen de pedra, falo de pedra (onde estaria ela, a minha pedra?): aspirações incompreendidas, emoções não extravasadas, desejos não satisfeitos. Estaria a mim reservado o mesmo destino, o da virgindade, associada ou não à caduquice? A velha era velha, mas não tão feia quanto eu. Por que, então, nunca tivera relações? Meu diagnóstico, baseado nas histórias que circulavam a seu respeito, era de frigidez. Parece que Davi tentara alguma coisa, mas fora repelido com veemência, com lições de moral, até — coisa a que Davi era muito sensível, puteado que fora pelo profeta Natã por ter cobiçado (e conseguido) a mulher do próximo.

Não era o meu caso. Frígida eu não era. Felizmente: a ausência de tesão, associada à ausência de beleza, reduziria minhas chances com Salomão a zero, naquele clima de disfarçada mas feroz competição. Felizmente ou infelizmente? Justo por serem tão poucas as minhas possibilidades com o rei, não seria a frigidez uma boa solução, um mal menor que me evitaria um penoso conflito?

Questão irrelevante. O negócio é que eu estava apaixonada por Salomão, só pensava nele, tudo o que queria era deitar-me com ele. A perspectiva de não consegui-lo, de morrer sem beijá-lo, sem acariciar seu rosto, sem tocar seu corpo e sem ser por suas mãos tocada (ele me faria vibrar como harpa melodiosa), essa ideia me entristecia, levava-me ao desespero. Mas ao desespero eu não me entregaria, lutaria até o fim. Não era mulher para aceitar resignada esse melancólico destino.

Decidi tomar a iniciativa: não poderia ficar na dependência do acaso, que certamente não me favoreceria. Se Maomé não ia à montanha, a montanha (com sua lúbrica caverna) iria a Salomão.

Para conseguir meu objetivo eu precisaria de ajuda, um auxílio mais eficaz do que o da escrava muda, tão dedicada quanto inútil. Tinha de chegar ao rei. Uma alternativa seria recorrer aos canais informais de comunicação; talvez um cortesão amigo pudesse cochichar ao ouvido do soberano, escuta aqui, Salomão, está na hora de dar uma colher de chá para a feinha, a coitada não dorme à noite pensando em ti, faz essa caridade, Jeová vai te recompensar, isso contará pontos no teu currículo para o Juízo Final.

Mas aí havia dois problemas. Em primeiro lugar, eu não conhecia nenhum cortesão, e mesmo que conhecesse, era de duvidar que ele se dispusesse a interceder; os olhares que os cortesãos me haviam lançado quando de minha chegada ao palácio estavam mais para deboche do que para simpatia. Em segundo lugar, eu não estava atrás de favores, mas sim de direitos. Queria reivindicar, não implorar. De novo, essa era uma coisa que eu dificilmente faria sozinha. Quem me ajudaria na tarefa? De repente, uma resposta me ocorreu: as mulheres do harém.

Ideia aparentemente absurda. Se estávamos competindo, e estávamos, por que elas se engajariam numa campanha a meu favor? E, mesmo que topassem, que campanha seria essa?

Sobre isso pensei muito, caminhando pelos jardins. Pensar, aliás, era uma coisa malvista pela encarregada do harém, que se irritava toda vez que me via vagando, cabisbaixa, pelas aleias. Tu pensas demais, dizia-me, por isso és tão feia, porque as ideias que te ocorrem te fazem franzir a testa e a boca, apertar os olhos, e a tua cara fica cada vez mais marcada; relaxa, te diverte, te ocupa com coisas tolas mas agradáveis, e verás como melhorarás, pelo menos um pouco — o suficiente, talvez, para não assustares mais o rei.

Mas eu não podia parar de pensar, de maquinar coisas. E o que maquinava agora era um plano para mobilizar as mulheres. Para que trabalhassem por mim? Para que me ajudassem a chegar ao leito de Salomão? Sim, mas não apenas isso. De repente, eu queria mais. Queria solidariedade, a verdadeira solidariedade das oprimidas. E contava chegar a isso partilhando com elas, da forma mais sincera e aberta possível, minha angústia. Queria mostrar-lhes que minha virgindade era um pouco a virgindade delas (mostrando que mesmo as descabaçadas continuavam, psicologicamente, socialmente, virgens), que minha marginalização tornava-as também marginais, que minha feiura era também a feiura delas — se não uma feiura externa, pelo menos interna, feiura da tristeza, do desamparo, por aí. Não tínhamos por que competir; ao contrário, só a união nos faria fortes, daria sentido à nossa vida ali no harém.

E como chegar lá? Para tanto, eu tinha planos. Organizaríamos grupos de discussão sobre a situação das mulheres no harém, cada grupo com sua coordenadora e sua relatora; faríamos uma grande plenária; e, baseada nas resoluções da plenária, eu — a única letrada — escreveria a Carta do Harém, um inflamado documento de protesto contra as condições em que vivíamos e que talvez percorresse clandestinamente o mundo, despertando em todos os haréns a consciência das mulheres lá aprisionadas. De pé, vítimas do sexo!, seria o grito de revolta que ecoaria, de Norte a Sul, de Leste a Oeste, que repercutiria nos ouvidos de todos os governantes. O objetivo final do movimento seria, não acabar com a instituição harém — muitas mulheres nem saberiam viver em liberdade —, mas pelo menos estabelecer uma pauta de direitos. No topo dessa pauta eu colocaria a quota mínima de fodas, a ser determinada cientificamente: depois de estudada a performance sexual de reis e sultões, uma média seria calculada e serviria de parâmetro. Outro detalhe: dentro do conceito de vida sexual democrática, cada mulher teria direito ao mesmo número de noites no leito real. Argumentos tipo meu pai é um monarca muito poderoso, eu mereço mais, não pesariam. Sou mais bonita, tenho mais tesão — nada disso seria aceito. Agora: haveria margem para alguma negociação. Se uma mulher quisesse passar um ano sem trepar, poderia. Se uma mulher preferisse outra mulher, em lugar do rei — tudo bem. Essas ficariam com créditos sexuais, para serem utilizados em outra época ou para serem trocados por outras espécies de gratificação. Dez fodas não utilizadas dariam direito a uma viagem de turismo pelo Mediterrâneo, em navio confortável, com tudo pago. Se o rei estava poupando sua energia sexual, nada mais justo que compensasse aquelas que o beneficiavam.

Enfim: um belo projeto, algo capaz de estabelecer um novo paradigma na relação entre homens e mulheres, ao menos em termos de harém. Agora: estava eu sendo sincera ao formulá-lo ou queria convencer-me de que era uma pessoa generosa, com ampla visão da sociedade e do mundo, uma pessoa capaz de desfraldar ao vento a bandeira da equidade e da justiça? Eu não tinha resposta para essa pergunta. Talvez o movimento fosse apenas disfarce para o meu egoísmo. E daí? Eu era interesseira? Está bom, então eu era interesseira. O mundo é dos que competem, eu me dizia, quem menos corre voa, e eu não vou ficar aqui esperando que aquele rei se disponha a me dar o favor de sua atenção. Por idealismo ou por qualquer outra razão, eu tinha de partir para a briga — esperando, naturalmente, o momento psicológico adequado.

Chegou mais cedo do que eu esperava. Duas semanas se passaram sem que o rei chamasse alguma mulher, o que era raro. A inquietude apossou-se do harém. Antes que os boatos começassem a circular, disseminei — com a ajuda das escravas (até a de língua cortada entrou na dança; era muito boa em mímica) — minha própria versão: o rei teria afirmado na corte estar farto das mulheres do harém, umas incompetentes, de limitadíssimo repertório sexual. Estaria pensando em criar um novo harém, quem sabe em local distante, num paraíso fiscal, por exemplo, o que lhe facilitaria a remessa de dinheiro.

Para minha satisfação, a história pegou. O harém inteiro ficou em pé de guerra. É uma barbaridade, protestavam as mulheres, o cara afirmar uma coisa dessas, quem ele pensa que é, nem mesmo um rei pode nos desprezar dessa maneira, a gente capricha, a gente se embeleza, a gente se esforça, e o cara fica lá, tripudiando, fazendo pouco da gente, contando mentiras para aqueles cortesãos bichas.

Ou seja: minha mensagem se propagara como fogo numa pradaria seca, e agora as chamas da revolta se erguiam, altas, vigorosas. Aproveitei o momento e sugeri uma reunião. As mulheres a quem primeiro falei a respeito mostraram-se receosas: não seria um ato de rebeldia, aquilo? Expliquei que não: tratava-se de uma manifestação ordeira, pacífica, nada teríamos a temer.

Naquela tarde mesmo nos reunimos. O comparecimento foi grande: mais ou menos oitenta por cento das esposas e uns cinquenta por cento das concubinas (estas, por não gozarem de estabilidade, receavam toda contestação). Sabiamente, eu não quis presidir a assembleia; pretendia falar, sim, mas no momento preciso. Os debates e as propostas se sucediam, sem falar nas questões de ordem, porém nada de concreto emergia. Chegou o momento em que as pobres coitadas pareciam ter perdido o rumo: olhavam-se atarantadas, não sabiam o que fazer, o que dizer. É agora, decidi. Rápida como uma cabra da montanha, subi na mureta da pitoresca e murmurante fonte que havia no centro do harém e, em palavras candentes (Deus, eu estava realmente inspirada — nada como a tesão longamente reprimida para fomentar a eloquência), conclamei-as a terminar com aquele abuso.

— Chega de sermos tratadas como objetos sexuais! Chega de submissão! Chega de opressão!

Respirei fundo e lancei a palavra de ordem:

— Por uma completa igualdade de direitos sexuais! De agora em diante o rei terá de receber cada uma de nós!

Ressoaram os aplausos. E aí — risco calculado, mas muito bem calculado — joguei minha cartada:

— E a primeira serei eu.

Fez-se um silêncio. Tenso silêncio. O que eu via agora, nos rostos à minha frente, era suspeição, não entusiasmo; desconfiança, não fervor revolucionário. E aí veio, lá de trás, formulada por uma magrinha saliente, a pergunta que eu temia, mas que, estava segura, em algum momento seria feita.

— Tu? Por que tu?

Eu já tinha a resposta preparada.

— Porque — respondi — sou a feia. Se o rei me receber, não terá desculpas para não receber nenhuma de vocês.

De novo, fez-se silêncio: muitas ali — nem todas eram brilhantes — tentavam entender o raciocínio. Mas uma morena de olhar desvairado veio em meu socorro.

— Isso mesmo! A feia é o teste! Que o rei receba a feia!

As mulheres agora pareciam encantadas com a ideia. Em coro, batendo palmas, gritavam:

— A feia! A feia! Que durma com a feia! A feia! A feia! Que durma com a feia!

A feia? Não. Eu não era a feia. Naquele momento eu não era a feia. Naquele glorioso momento, naquele transcendente momento, naquele abençoado momento, consegui, por uma fração de segundo, ver-me como se fosse outra pessoa. E o que via era uma mulher de pé sobre uma mureta, punho erguido no ar, cabelos em desalinho, rosto — belo rosto, sim, belo, muito belo, de uma beleza diferente, mas indiscutivelmente belo —, rosto resplandecente... Ah, se aquele momento se eternizasse, se aquela beleza permanecesse para sempre... Poderiam me chamar de feia, sim, mas estariam usando o termo no sentido carinhoso. Querida feia, adorável feia, brava feia, generosa feia. Bela feia.

O êxtase não durou muito. No momento seguinte a encarregada entrava no harém, acompanhada de empregados e dois soldados, furiosa.

— Que gritaria é essa, porra? Onde é que vocês pensam que estão, cambada de putas? Pensam que o harém é bordel, pagãs de merda?

Foi uma debandada geral. Apesar de meus gritos — resistam, amigas, estamos unidas, não podemos ser vencidas —, fugiam para todos os lados. Por fim fiquei só eu, sozinha, em cima da mureta.

— Desce daí — comandou a mulher.

— Não desço. — Eu estava blefando, mas era necessário: estava em jogo o pouco que eu tinha conquistado. Se quisessem usar a força, que usassem: o fato chegaria inevitavelmente ao conhecimento de Salomão, e até serviria como argumento moral em meu favor. Desde que eu saísse inteira dali: com os soldados, nunca se sabia.

— Desce, já disse — repetiu ela, mas já não tão segura.

— Não desço. Vais ter de me tirar daqui na marra. Mas já vou avisando: não será fácil, hein? Não será fácil. Daqui só saio morta.

A ameaça deve ter lhe soado muito real, porque vacilou. Matar uma esposa de Salomão, mesmo a feia, mesmo a rebelde, podia ser considerado uma falta muito grave. Mudou o tom:

— Deixa de bobagem, querida. Desce daí e vamos dar tudo por esquecido.

— Deixa de bobagem tu. Daqui só saio para o leito do rei. Enquanto ele não cumprir as obrigações conjugais comigo, nada feito.

Agora a encarregada estava francamente alarmada. Naquele momento, estava hospedada no palácio uma delegação de potentados estrangeiros. O que aconteceria se, por acaso, pedissem para conhecer o harém? O que pensariam vendo uma mulher com cara de louca, imóvel sobre a mureta da fonte, feiura agravada pela expressão feroz? Seria péssimo para a imagem do reino, uma imagem que Salomão cultivava cuidadosamente. Eu teria de ser retirada dali o quanto antes. E, já que ela não poderia me remover numa boa, o jeito era levar o problema ao próprio rei. Um vexame — afinal, como encarregada, supunha-se que devia evitar exatamente isso, que conflitos no harém chegassem ao trono —, mas a alternativa sem dúvida seria pior, mesmo porque àquela altura Salomão provavelmente já estaria informado dos acontecimentos.

— Está bem — suspirou —, vou falar com o rei. Mas me faz um favor, desce daí.

— Nada disso. Vai lá, fala com ele, e volta aqui. Conforme a reação dele, eu desço. Ou não.

Me olhou com raiva — essa aí, além de feia, é uma mula de tão teimosa — mas foi. E eu fiquei ali, aguardando, as mulheres agora me olhando de longe, em atemorizada expectativa.

Duas horas depois, a encarregada voltou. Exibia agora um sorriso conciliador.

— Podes descer. O rei vai te receber esta noite.

Confesso que as pernas me tremeram. Eu tinha vencido, eu conseguira o que queria: o rei ia me receber, o rei ia, enfim, me receber. Mas aquela perspectiva não me deixava feliz, nem mesmo excitada. Ao contrário, eu estava amedrontada, naquele momento eu era apenas uma mocinha feia, muito feia, uma mocinha tímida prestes a ser desvirginada — oh, Deus. Uma vertigem se apossou de mim; antes que eu caísse, a própria encarregada me amparou, me ajudou a descer.

— Calma, garota, calma. Não será nada de mais. Tudo dará certo, vais ver. Serás feliz para sempre.

Pequena ironia, que lhe servia de vingança.

— Agora vamos, temos muita coisa a fazer: quero banhar-te, maquiar-te. Assim o rei-

Não completou a frase, mas eu sabia o que viria após: assim o rei não te achará tão feia. De novo, a revolta cresceu dentro de mim. Com um safanão, libertei-me.

— Deixa-me. Não quero banhar-me nem maquiar-me. Vou assim mesmo, como eu sou.

— Mas-

— Não tem mas. Feia ou não, o rei vai ter de me aceitar. Se não, volto para a mureta e continuo soltando o berro.

— Está bem, está bem, vai assim mesmo — disse ela, mal contendo a raiva. — Mas depois não diz que não te avisei.

E saiu, bufando.

Faltavam algumas horas para o anoitecer. Eu pretendia esperar de pé, mas cansei e acabei sentando-me junto à mureta. O sol completou sua marcha sobre o deserto da Judeia e foi desaparecendo lentamente atrás do horizonte. A tênue, suave luz do crepúsculo invadiu o harém. Algumas mulheres começaram a entoar, num dialeto para mim desconhecido, uma nostálgica melopeia. Exausta dos acontecimentos daquele dia acabei adormecendo. E sonhei: sonhei que estava de novo em minha aldeia, que era criança e que meu pai me estendia os braços, dizendo, com um sorriso, vem, minha bela, vem. E eu corri para ele, ia abraçá-lo, mas nesse momento alguém me sacudiu com energia, com brutalidade até: era a encarregada do harém.

— Vamos. Está na hora.

Rudemente despertada, pus-me de pé, ainda atarantada. A mulher me olhou com desgosto.

— Estás um lixo, querida. Um verdadeiro lixo. Muito pior do que o habitual. Permite pelo menos que eu te mostre.

Mandou que trouxessem um espelho. Um bom espelho, bem polido, de modo que eu não pudesse ter nenhuma dúvida quanto à minha imagem nele refletida. Imagem que contemplei com receio. E havia razões para isso: a imagem que eu via ali era simplesmente medonha. Deus, como eu estava feia. Cabelos desgrenhados, cara estremunhada de sono — a feiura multiplicada por dois, no mínimo. Notando que eu estava abalada, a encarregada do harém ainda fez uma tentativa:

— Quer que eu chame a maquiadora? Em cinco minutinhos-

— Nada disso. — Agora eu não voltaria atrás. — Vamos lá.

Marchamos em direção aos aposentos reais, nossos passos ressoando em uníssono nos corredores vazios. Eu me sentia... Como é mesmo que eu me sentia? Uma condenada. Ali estava eu, escoltada como uma prisioneira... E era para a noite de núpcias que eu ia. Era para os braços do meu esposo. Incrível.

Finalmente, chegamos. Detivemo-nos diante da grande porta guardada por soldados armados.

— Espera aqui — disse a encarregada. Trocou algumas palavras em voz baixa com os guardas. Olharam-me — o assombro em sua expressão era mais do que visível — e abriram a porta. A encarregada introduziu-se por ali. Voltou minutos depois, dizendo que eu podia entrar.

— Daqui por diante é tudo contigo — disse-me, num tom de mal disfarçado escárnio. — Vê lá o que vais fazer.

Não respondi. Trêmula, entrei nos aposentos reais.

A primeira coisa que vi foi o leito. Imenso, com grandes dosséis de seda, lembrou-me, não sei por que, um navio, coisa que eu nunca tinha visto, mas que imaginava exatamente daquele jeito. Ali estava eu, pois, diante da nau de Salomão. Qual seria o seu destino? Rumaria para a ilha da Eterna Felicidade, propelida pelo doce vento do amor, ou ficaria perdida no revolto e perigoso mar da Frustração? Eu não saberia dizer. Feias não predizem; feias aceitam o que lhes reserva a sorte.

Salomão não estava ali. Melhor dizendo, estava, mas não no aposento propriamente dito e sim no amplo terraço, do qual se descortinava toda a região, iluminada por fantástica lua. De costas para mim, olhava o horizonte. Em que estaria pensando? Em novas alianças com países distantes, em novas esposas a serem incorporadas ao harém? Ou estaria esperando o obsceno pássaro da noite, para dele obter dicas a respeito da aventura que logo iria viver?

Por algum tempo fiquei ali, à espera, olhando aquele altaneiro vulto, aquele largo dorso, aquela bela cabeça.

E aí senti tesão.

Dá para acreditar? Eu, naquela ansiedade tremenda, sem saber o que ia me acontecer, o desejo começou a brotar dentro de mim, foi se tornando mais forte, e eu sentia que a qualquer momento ia pular naquelas costas e beijar aquela nuca... Antes que isso acontecesse, ele se virou. Olhou-me e estremeceu. De novo, estremeceu. Eu devia ter ficado puta da cara, que história é essa de estremecer toda vez que me olha?, mas o resultado foi exatamente o contrário, eu agora estava na ponta dos cascos, por assim dizer, de modo que o fato de ele estremecer só me aumentou o desejo, que chegava a níveis insuportáveis.

Ele suspirou.

— Então é hoje — disse, com visível resignação. Talvez para ganhar tempo, resolveu iniciar um papo — mas aí deu-se conta de que não recordava o meu nome, nem quem exatamente eu era. Tive de me identificar; ele — claro, como não me lembrei de ti, és uma figura tão marcante — quis saber como estava meu pai, e a família, e a aldeia; ou seja, estava jogando conversa fora, estava matando tempo, estava desperdiçando energias — e, pior, estava me martirizando, eu que não aguentava mais. Finalmente, indicou a cama.

— Tira a roupa, deita, e me aguarda que já venho.

Chegara o momento. Mais que depressa despi-me e deitei-me, cobri-me com o lençol.

Erro. Grave erro. Perdi a oportunidade de lhe mostrar o meu corpo, os belos seios — enfim, o que eu tinha de melhor, aquilo que poderia excitá-lo. Ele continuava vacilante; ia deitar-se também, mas mudou de ideia, disse que precisava meditar mais um pouco — meu cargo exige, explicou, à guisa de desculpa — e voltou ao terraço.

Era muita meditação para o meu gosto. Eu esperava que ele se precipitasse sobre mim, que rolássemos pela cama como loucos, que caíssemos no chão até. Mas não, ele preferia o maldito terraço. Senti que aquilo não ia terminar bem.

Não deu outra. Quando ele finalmente se deitou, ainda com o roupão de seda, estava longe de parecer um homem tomado pela paixão. Bocejou, coçou-se, pegou um copo de vinho que estava sobre a mesa de cabeceira, tomou um gole, fez uma careta (está azedo esse vinho, tenho de mandar trocar), e só então voltou-se para mim, com aquela cara de menino que tem de fazer a lição de casa mas não quer:

— Vamos lá. Abre as pernas.

Assim mesmo: vamos lá, abre as pernas. Nada de palavrinhas carinhosas, nada de carícias, nada de sutis prolegômenos. Direto ao assunto, como um taberneiro que deita com a mulher para se saciar e depois dorme. Mas — a ilusão não tem limites — aquilo me soou como a mais doce das elegias, como um terno convite ao amor; abri, pois, as pernas. Ele veio.

Veio. Mas nada aconteceu. Era para eu sentir o ferro? Era para eu gritar de dor e prazer? Era para eu descer aos infernos e depois, como um foguete, subir aos céus, ao paraíso do gozo? Não senti o ferro coisa nenhuma, não gritei coisa nenhuma, não desci e nem subi coisa nenhuma, coisíssima nenhuma. Na minha úmida vagina nada tinha entrado. O esperado hóspede não se fizera presente.

— Alguma coisa não está funcionando bem — gemeu ele, e àquela altura o suor já lhe perolava a testa. Aquilo me irritou, aquele anticlímax. Era assim que a suposta noite de paixão terminaria, com um gemido ao invés de um brado de alegria? O que estava havendo? Resolvi meter a mão e ver o que estava acontecendo. Suprema decepção: o circunciso pinto real estava ali, conforme esperado, mas murcho, flácido. Meu gesto só fez irritá-lo:

— Quem é que te autorizou a mexer aí? Quem pensas que és, afinal?

— Sou tua esposa — respondi, desabrida. — Uma a mais,

mas esposa, de todo jeito. Tu és meu esposo. E não estás correspondendo.

Ele ficou um instante em silêncio, os olhos no teto. Depois voltou-se para mim, magoado e ao mesmo tempo furioso:

— Está bem. Queres saber? Broxei. Nunca tinha me acontecido antes, mas agora aconteceu. Broxei. É uma coisa vergonhosa, mas tenho de admitir: broxei. Depois de setecentas esposas, trezentas concubinas e vários casos extras, broxei. Fracasso. Fracasso total.

Bufou.

— Agora: de quem é a culpa? É tua. Quem mandou ser tão feia? Além de feia, estúpida. Estou passando por um momento de grandes dificuldades, até ameaça de rebelião enfrento. O que se espera de uma esposa em circunstâncias assim? Compreensão, paciência. Mas não. Forçaste a barra, fizeste até um comício para me obrigar a te receber. Resultado: broxura. Mas arcarás com as consequências: sairás daqui como entraste: cabaço. Bem feito. É o castigo que mereces.

Foi a gota que fez transbordar o cálice de meu desespero. Gemendo e choramingando, não faz isso comigo, meu rei, por favor, não me envergonhes, agarrei-me a ele, beijando-lhe o peito, a barriga e aí — tresloucada que estava — tentei recorrer ao sexo oral, a exemplo de minha irmã com o pastorzinho na caverna. Antes que ele pudesse esboçar qualquer coisa, caí de boca no pau dele.

Tremenda bobagem. Eu não sabia, mas descobri-o na hora: pênis mole não aceita felação. O resultado, em consequência, foi simplesmente catastrófico. Transtornado, ele saltou da cama; fitou-me, lívido, e então apontou um trêmulo dedo para a porta:

— Sai, abominável! Sai daqui!

Alarmados com a gritaria, dois guardas entraram correndo, lanças em riste — e aí se detiveram, atarantados, sem saber o que fazer. O que o deixou simplesmente possesso:

— Quem mandou vocês entrarem, seus idiotas? Eu chamei vocês, por acaso?

Caiu em si, deu-se conta de que corria um risco: se os guardas contassem o acontecido, a reputação dele estaria para sempre comprometida. De modo que rapidamente armou sua encenação:

— Minha esposa não está se sentindo bem. Acompanhem-na até o harém, digam à encarregada para tomar conta dela.

Sem resistência, deixei-me conduzir.

As mulheres estavam todas acordadas, obviamente. Ao me ver chegar, ainda mais descabelada e desarrumada do que tinha ido, e em prantos, se deram conta do que tinha acontecido. A reação delas foi muito digna: poderiam ter gozado com a minha cara, poderiam ter me esculhambado — olhem só a líder que arrumamos, essa aí é um fracasso completo — mas não, nada disseram, nada perguntaram. Duas ou três me ajudaram a me deitar, e uma até ficou cantando baixinho — um pouco desafinada, mas muito emotiva — para que eu adormecesse. O que só depois de muito choro aconteceu.

No dia seguinte nem pude levantar-me da cama, tão mal estava. Passei o dia sem comer, sem beber, soluçando o tempo todo. As mulheres do harém, sinceramente consternadas, rodeavam-me, querendo saber o que podiam fazer por mim. Quem sabe uma fruta? Quem sabe flores? Quem sabe cantavam para me alegrar?

Mas não, nada podia me alegrar. Melhor dizendo, havia uma coisa que poderia me tirar daquele desespero — o chamado de Salomão. Se me mandasse buscar, se pedisse desculpas pelo fiasco — perdoa-me, eu não estava num bom momento mas agora quero me reabilitar, quero viver contigo momentos de muito amor —, ah, se isso acontecesse eu, fênix esplendorosa, renasceria de minhas próprias cinzas e voaria para ele.

Salomão não me chamou. Pior: nos dias que se seguiram, chamou outras, várias outras. As belas, as mais belas. Vi nisso claro recado: feiura é um veneno, feiura acaba com qualquer tesão, preciso da beleza como antídoto.

Uma enorme raiva foi crescendo dentro de mim, uma enorme e fria raiva que tomava o lugar da tristeza. O sacana tinha me tratado mal, muito mal. Por exemplo: que história era aquela, de broxar por minha causa? Eu agora estava achando que Salomão tinha apenas arranjado uma desculpa. Um homem de verdade, um homem tesudo, teria ido em frente, sem se importar com a beleza — aliás, no escuro, que diferença fazia? Mais: se o pastorzinho podia traçar uma cabra, o rei não podia trepar com uma feia? Eu estava arcando sozinha com o ônus do fracasso dele. O que era, para dizer o mínimo, profundamente injusto.

Mas aquilo não ficaria assim. Aos poucos, fui concebendo um projeto de vingança.

Ele próprio me dera a ideia, ao falar de suas preocupações com a oposição ao trono. Obviamente o que mais temia era um complô. Era, portanto, o que eu tinha de fazer: montar um complô contra ele. Não para derrubá-lo do poder — o que me faria perder a condição de esposa real —, mas para obter concessões. Aos poucos fui concebendo um plano ousado e grandioso, tão ousado e grandioso que até a mim assombrava.

Tratava-se, nada mais nada menos, do que sequestrar Salomão. Sequestrá-lo para obter, como resgate, não joias nem dinheiro, mas o cumprimento de suas obrigações conjugais com a esposa desprezada. Fode ou morre. Ou, no mínimo: fode ou perde os colhões.

Quem executaria tal plano? Meu pai. Meu pai e a gente da nossa tribo. Eu sabia que, no passado, eles tinham sido ousados guerrilheiros. De fato, por décadas haviam mantido em xeque as tropas reais que iam à região para subjugá-los. Sabiam como atacar de surpresa e como sumir antes que o adversário se recuperasse. Nessas escaramuças, meu pai se revelara um notável comandante e um grande, ainda que empírico, estrategista. Um talento que eu, aliás, herdara dele, como agora estava descobrindo.

Agora: a troco de que meu pai participaria em tal empreitada? Simples: para recuperar a honra de sua filha. Gostar de mim ele nunca gostara, mas era o patriarca da aldeia e um patriarca não poderia admitir que alguém — carne de sua carne, sangue de seu sangue — passasse por um vexame. E vexame era até pouco para descrever o duro transe que eu vivera nos aposentos de Salomão. Aquilo fora uma profunda, uma completa humilhação, algo capaz de acabar com a autoestima de qualquer mulher, principalmente de uma mulher feia.

Havia outro aspecto: o casamento não fora consumado. Portanto o rei poderia revertê-lo a qualquer momento, o que significaria retirar o apoio a meu pai. Um risco que a conjunção carnal evitaria. Esse seria o desfecho esperado da conspiração: sequestrado, Salomão teria de trepar comigo. Ou arcar com as consequências, mas não era isso que eu pretendia, mesmo porque seria um desfecho penoso demais. Eu não queria me vingar. Estava apostando num resultado inesperado (para Salomão; não para mim) daquele assalto político-sexual. Tal como eu imaginava a coisa, Salomão, num primeiro momento, estaria assustado, se borrando de medo: me salva, esposa, por favor, me salva dessa gente, desses fanáticos malucos. Deixa comigo, eu diria. Gentilmente o conduziria ao quarto. Pediria a meu pai e seus homens que esperassem fora, fecharia a porta e diria, vamos esquecer o que se passou, querido Salomão, vamos começar tudo de novo. Ou seja, naquele momento de angústia ele encontraria nos meus braços um refúgio seguro. Eu seria a sua protetora, sua mulher e sua mãe — o que é um homem, senão uma criança desamparada em busca do amparo materno? O calor de meu corpo seria para ele um inesperado conforto; cálido sentimento o invadiria, seguido de consistente ereção — e aí, a foda viria naturalmente. E não seria apenas algo transitório. Ele lembraria para sempre que eu o protegera como pastora acolhendo um cabritinho ameaçado. Quando, no futuro, vivesse instantes de aflição (e certamente não seriam poucos, tais momentos: ameaça de grandes potências, crises financeiras resultantes de gastos excessivos com templo & similares, problemas físicos tais como a ameaça do câncer de próstata), voltar-se-ia para mim, amiga e companheira, estrela e guia na escuridão, porto seguro para a desarvorada nau que ele um dia seria. E então, lágrimas nos olhos, diria a única frase sincera de sua vida: “Eu te amo, Pombinha”.

(Pombinha: sim, eu já tinha resolvido que ele me chamaria assim. Leões ao lado do trono, Pombinha no coração, essa seria a sua vida. Não precisaria mais falar com pássaro algum, só com a sua Pombinha.)

Os detalhes da operação já estavam todos em minha cabeça. Eu me dera conta de que o palácio, apesar de muito bem guardado, tinha seus pontos vulneráveis. Um deles era o Retiro, que não ficava longe dos aposentos de Salomão. Ali não havia soldado nenhum. A segurança do palácio decerto concluíra que tal não era necessário. Soldado para quê? Para cuidar de velhas? O Retiro estava, pois, desprotegido. E dava para um abandonado bosque de oliveiras. Um grupo de homens decididos que por ali entrasse não teria a menor dificuldade para chegar à sala do trono para, após alguma resistência, fazer o rei prisioneiro.

O passo seguinte era informar meu pai. Contar-lhe a história toda, pedir-lhe ajuda e submeter-lhe o plano. E isso, paradoxalmente, parecia-me o mais difícil. Não se tratava apenas de nosso mau relacionamento; havia o problema da comunicação propriamente dita, de falar com ele. Na qualidade de esposa, e, pior, de esposa rebelde, eu não tinha a menor possibilidade de sair do palácio. E não estava prevista nenhuma visita de alguém da família antes de, pelo menos, um ano.

O jeito seria enviar uma carta. Mas como? Eu não poderia, obviamente, recorrer aos correios do palácio. Comecei a cogitar de meios engenhosos, ainda que um pouco fantasiosos, para enviar a mensagem a meu pai. Usando, por exemplo, um pombo-correio.

Pombo, no palácio, era coisa que não faltava. Havia-os aos milhares. Na verdade, representavam um transtorno, pela sujeira que faziam, mas mesmo assim eram mantidos e alimentados. Tratava-se de uma disposição do próprio Salomão. A razão pela qual gostava tanto de pombos era pouco clara. Parece que, capaz de falar com pássaros, tinha um diálogo todo especial com essas aves, e mais de um empregado sustentava que ele havia sido visto junto aos pombais, arrulhando melodicamente. Por outro lado, aqueles columbídeos simbolizando o amor, conforme atestado por várias e sentimentais canções, a presença deles, sobretudo no jardim do harém, se constituiria em delicado convite ao conúbio amoroso, e também em complemento neutralizador à arrogante presença dos pavões que ali estavam para lembrar o poder real e dos sinistros corvos que por vezes apareciam, crocitando.

Os pombos do jardim eram mansos, e não me seria difícil capturar um deles. Agora: como treiná-lo? Como transformá-lo num mensageiro aéreo? Como ensinar-lhe o trajeto a seguir? Uma ideia que me ocorria era habituar um pombo a comer o fruto de uma espécie de cacto que só existia perto de nossa aldeia. Condicionado a tal alimento, teria de voar em busca dele, e assim levaria a mensagem. Bem pensado, sem dúvida; mas como obter o fruto do cacto? Eu poderia pedi-lo à minha gente. Mas como? Por um pombo-correio?

Havia outros obstáculos a considerar. A mensagem teria de ser escrita em pergaminho. Que teria um peso — para uma ave de pequeno porte — considerável, porque os pergaminhos eram uma coisa espessa, densa. Seriam necessários uns quatro pombos, pelo menos, cada um segurando uma ponta do pergaminho, o que me obrigaria a treiná-los para que voassem em esquadrão. Enfim: eu estava com um problema aparentemente insolúvel. Mas aí aconteceu algo incrível.

Um dia eu estava no jardim do harém quando ouvi, do outro lado do alto muro, alguém tocando flauta. Uma melodia conhecida, que me fez o coração bater acelerado: eu já a ouvira em nossa aldeia. Olhei para os lados: ninguém por perto. Galguei o muro e constatei que não tinha me enganado: era o pastorzinho. Ali estava ele, o pobre rapaz, rosto marcado pelas cicatrizes, tocando a flauta, esperando que alguém lhe desse uma esmola. Não nego que, ao vê-lo, a emoção se apossou de mim; senti um nó na garganta, um aperto no peito, podia ser a velha paixão voltando? Talvez, mas nisso eu não queria nem pensar. Meu homem, o homem a quem eu queria conquistar, era Salomão.

Chamei o pastorzinho. De início assustou-se, quis até fugir; mas então me reconheceu e me saudou com efusão: que alegria falar contigo, eu sabia que estavas no harém, mas nunca imaginei que te veria, disseram que homem algum agora pode te olhar. Hesitou: será que não estava cometendo uma transgressão, dirigindo-se a uma esposa do rei? Respondi que o nosso afeto estava acima daquelas regras idiotas: antes de mais nada éramos amigos, e amigos seríamos para sempre. Ele agradeceu com efusão: tu és muito boa, tens um grande coração. Suspirou:

— Eu é que não presto, não valho nada.

Deixa disso, respondi, cometeste um erro, isto acontece. E antes que ele se deixasse invadir pela tristeza, mudei de assunto, perguntei o que tinha sido feito dele depois que saíra da aldeia. Deu de ombros:

— Nada que tenha valido muito a pena.

Contou que, depois de vagar muito tempo pelas estradas, chegara a Jerusalém e decidira ficar ali. Num primeiro momento, e graças a certa ligação (não quis entrar em detalhes, e nem me achei autorizada a perguntar a respeito), tinha passado muito bem, ganhara bom dinheiro. Atualmente, porém, não tinha trabalho, dormia ao relento e vivia de esmolas.

— É duro — disse, com a voz embargada. — É muito duro.

Hesitou um instante, perguntou se eu podia lhe arranjar um pouco de comida — havia três dias estava em jejum. Triste, mas de imediato me dei conta de que ali estava uma grande oportunidade.

— Posso fazer mais do que isso — respondi. — Posso te garantir um bom dinheiro.

Uma pausa, e acrescentei:

— Desde que me faças um favor.

— Que favor? — disse ele, esperançoso.

— Quero que leves uma carta a meu pai. Ele te pagará bem por isso.

Teu pai? — Olhou-me, claramente assustado. O que era compreensível: ainda tinha as marcas deixadas pelo apedrejamento. — Mas teu pai quer me tirar o couro... Por causa daquele erro que cometi com tua irmã, maldita seja.

Essa última referência me surpreendeu, mas era explicável.

Seguramente sentia-se traído por minha irmã. Ela não apenas não o acompanhara na desgraça, como o trocara por outro. Mas não era o momento de falar sobre essas coisas; precisava convencê-lo a entregar a mensagem. Insisti: depois que meu pai souber o que contém a carta, ficará muito grato a ti. Pode até te receber de volta na aldeia.

Seus olhos brilharam: aquilo, obviamente, era o que ele mais queria. De imediato, resolveu-se.

— Está bem. Podes contar comigo. Onde está essa tal carta?

Expliquei que ainda teria de escrevê-la. Ele ignorava essa minha habilidade; arregalou os olhos: uma mulher, escrevendo? De imediato, cresci em seu conceito: agora eu já não era mais a feia filha do patriarca, era a letrada — e mulher do rei, ainda por cima. Sua admiração naturalmente era um conforto, mas eu não podia perder mais tempo com frescuras: alguém poderia me ver, o que me deixaria em maus lençóis. Pedi que voltasse daí a três dias. E como te avisarei?, perguntou.

— Vais fazer a mesma coisa que fizeste hoje: toca tua flauta. A mesma música. Eu aí te jogo a carta. Combinado?

— Combinado. — Vacilou um instante e acrescentou, num tom que me pareceu indiscutivelmente sincero: — Quero que saibas que gosto muito de ti.

Uma declaração de amor, aquilo? E se era amor, teria surgido naquele instante? E se havia surgido naquele instante — deveria eu encorajar esse amor? Como? Para quê?

Não havia como responder a essas perguntas. De mais a mais, eu estava muito sofrida para um romance, sobretudo apressado e vivido em cima do muro. Mais importante ainda, eu agora tinha marido; estranho marido, mas marido, e era esse marido que eu queria conquistar, não o pastorzinho. Limitei-me, pois, a dizer que também gostava dele, que sempre o lembraria com carinho, e saltei para o chão. Bem na hora: a encarregada do harém chegava naquele momento, para sua inspeção habitual.

— O que estás fazendo aí? — perguntou, intrigada, suspeitosa: eu agora era uma pessoa que precisava ser vigiada, e vigiada de perto.

Desconversei, falei alguma coisa sobre espairecer no jardim. Olhou-me ainda desconfiada — o que será que a feia está aprontando, deixou o rei broxa, sublevou as mulheres e, como se isso não bastasse, quer mais confusão ainda —, mas se afastou sem nada dizer.

Bom. A questão do mensageiro estava resolvida. Precisava agora escrever a carta. Mas onde arranjar o material necessário? Não seria fácil; só os escribas podiam usá-lo. Raramente eram vistos: trabalhavam isolados, numa sala fechada a que só o rei tinha acesso. Mesmo que eu conseguisse falar com eles, não teria como lhes pedir um pergaminho — seria estranho, para dizer o mínimo; chamaria a atenção. E chamar a atenção era a última coisa que eu queria.

Não havendo outro jeito, tive de recorrer ao suborno. Com o único objeto de valor que tinha, um pequeno bracelete de ouro e marfim (presente de minha mãe, não de Salomão, que não dava presentes a nenhuma de suas esposas ou concubinas. Não quero mostrar preferências por ninguém, explicava. Sabedoria ou avareza, aquela era a regra), comprei um dos guardas, e ele me arranjou pergaminho, o cálamo, a tinta. Uma noite, à luz da lua, enquanto todas dormiam, escrevi a carta ao pai.

E que carta foi aquela. Que carta. Eu estava inspirada. Não me restringi aos acontecimentos recentes. Recuei no tempo: a rejeição de que eu fora vítima por parte de Salomão não era um incidente isolado; ao contrário, fazia parte de minha história natural como feia e rejeitada criatura. Era o esperado resultado da problemática relação entre um pai autoritário, distante, e uma filha sensível e amargurada. Falei das angústias e das aspirações dessa moça, da esperança por ela depositada no afeto do homem a quem tinha sido destinada como esposa. Descrevi em termos candentes a humilhação pela qual tinha passado, e que se estendia à família, comprometendo a árvore genealógica inteira, até a ponta do menor galho. Finalizei pedindo a meu pai, em nome de nossos antepassados, que me ajudasse. Depois dessa longa e eloquente introdução, entrei nos detalhes práticos, explicando com minúcias o que teria de fazer para entrar no palácio e sequestrar o rei.

Terminei a carta no dia mesmo em que o pastorzinho devia passar pelo palácio. Ele cumpriu a promessa. À hora combinada, ouvi o som de sua flauta. Corri para o jardim, arremessei o pergaminho por cima do muro. A sorte estava lançada. Pela primeira vez em muito tempo, rezei: pedi a Jeová que me ajudasse, que fizesse a mensagem chegar a seu destino. Senti-me então calma, consolada; fizera o que tinha de ser feito. Agora, era só esperar.

E aí, uma surpresa.

No início da noite, a encarregada do harém veio me procurar.

— O rei mandou te chamar.

Eu não acreditava em meus ouvidos. O rei, me chamando? O rei, que poucos dias antes me expulsara de seus aposentos? O rei, que me recusara de forma tão cabal e irritada? O que quereria o rei comigo? Confusa, eu não sabia o que pensar. Teria Salomão optado por cumprir, afinal, as suas obrigações? Talvez: sua confiabilidade como monarca, os futuros tratados que ainda teria de celebrar, dependiam em boa parte de seu desempenho marital. Quem sabe tinha tomado precauções contra o risco de um novo fracasso. Exemplo: afrodisíaco. Exemplo: orgia — no decurso da qual, excitado com outras mulheres, aproveitaria o embalo para me traçar de qualquer maneira.

Havia uma segunda possibilidade, mas esta remetia direto ao milagre: teria ele subitamente se dado conta de que seu sentimento por mim era, na verdade, amor? Estaria me chamando para dizer isso, que a lembrança de minhas mãos, ou de meu corpo (mas não da cara), funcionara nele como um mágico filtro da paixão, ainda que de efeito retardado?

E havia, por fim, uma terceira possibilidade, sombria, mas não incompatível com o maquiavelismo da realeza. Teria Salomão confiado a tarefa de meu defloramento a um tertius, por ele comissionado, e que desempenharia sua missão como segredo de Estado? Hipótese humilhante, mas eu até aceitaria um marido vicariante, transitório, desde que fosse substituído, no devido tempo, pelo querido Salomão. O sacrifício teria então valido a pena.

Em qualquer dos casos, uma coisa era certa: eu me precipitara ao enviar a carta a meu pai, assim como me precipitara ao pedir o auxílio postal do pastorzinho. O pior é que o rapaz já estava a caminho, ansioso por desempenhar sua missão, a missão que, imaginava, o reconciliaria com meu pai. Eu precisava detê-lo; mas como? Correndo atrás dele? Não, isso eu não podia fazer, e de todo jeito seria inútil, eu jamais o alcançaria. O melhor mesmo era ir, de imediato, ao rei. Tudo resultando da maneira mais desejável (ou seja, ocorrendo uma fogosa relação com ele ou com alguém por ele designado), eu lhe contaria o sucedido, pediria que me perdoasse e me ajudasse a evitar o catastrófico ataque de meu pai. Sábio como era, Salomão me compreenderia. Mandaria seus velozes cavaleiros atrás do pastorzinho; a mensagem seria recuperada, o pastorzinho receberia muitas cabras como recompensa; tudo terminaria bem, e seríamos felizes para sempre.

Com essa maravilhosa perspectiva em vista, vesti-me rapidamente e ordenei que a maquiadora comparecesse com urgência.

— Não é preciso — atalhou a encarregada. — Hoje não será preciso.

— Como, não será preciso? — Eu, perplexa. — Mas o rei...

— O rei disse que não é preciso. Vamos logo, ele está te esperando.

De novo, a marcha por longos e sombrios corredores — mas, surpresa, não em direção aos aposentos reais. Em vez disso, fomos para a sala do trono, o que de imediato me deixou intrigada — e preocupada. Por que viemos para cá, perguntei à encarregada do harém. Já verás, replicou. Deixou-me à porta do recinto e se foi.

Dois cortesãos me fizeram entrar. Ali estava o rei, sentado no trono. Ao vê-lo, quase desfaleci: tinha um pergaminho na mão. O meu pergaminho. A carta que eu escrevera a meu pai.

Eu não sabia o que fazer. Deveria arrojar-me ao solo, pedindo perdão? Deveria explicar, não é nada disso que Vossa Majestade pensa, isso daí não passa de uma gozação, de uma brincadeira entre filha e pai? Não conseguia decidir-me e permanecia ali imóvel, os cortesãos a meu lado. Quanto ao rei, limitava-se a me olhar, fixamente, inquisidoramente. O silêncio na sala era insuportável. Era ameaçador.

— Acabei de interceptar tua correspondência — disse, por fim, num tom absolutamente neutro. — Uma grosseria de minha parte, reconheço, mas já que não usaste o correio palaciano, senti-me autorizado a tal. Ademais, hás de convir que o assunto envolvia a segurança do reino. Tive, pois, de fazê-lo.

Apesar do pânico, não me era difícil reconstituir o que acontecera. No momento em que eu arremessava a carta por cima do muro, o pastorzinho acabara de ser detido por guardas do palácio. Estavam a interrogá-lo quando do céu, por assim dizer, caíra aquela coisa insólita, um pergaminho amarrado por uma fita. Os guardas haviam-no entregue a seu comandante que, suspeitando de algo sério, levara-o ao próprio rei.

— Conspiração contra o trono — continuou Salomão. — Assunto grave. Posso condenar-te à morte, sabes?

Claro que eu sabia. Por muito menos, meu pai tinha mandado apedrejar o pastorzinho. A lei era dura, naquele país, muito dura: olho por olho, dente por dente. Mas se pensava que eu me jogaria ao solo, chorando e pedindo perdão, estava enganado. Eu já tivera minha quota de humilhações. Que mandasse me matar; estava no seu direito. Mas eu morreria em silêncio, com dignidade.

Contudo, não estava pensando em execução. Nada havia de ameaçador no olhar que me dirigia; ao contrário, a situação parecia até diverti-lo. E lhe dava ideias, como logo vim a descobrir.

Pediu aos cortesãos e aos soldados que nos deixassem a sós. Levantou-se, desceu os degraus do trono e, conduzindo-me a um divã, pediu-me que sentasse a seu lado. Olhou de novo o pergaminho.

— Está muito bem redigido. Uma obra para fazer inveja a qualquer escriba.

Mirou-me, fixo.

— Alguém escreveu isto para ti?

A pergunta me deixou na defensiva. Estaria ele buscando indícios de uma conspiração palaciana? De toda forma, eu não mentiria. Disse que não, que sabia ler e escrever, que fazia isso havia muito tempo.

— Maravilhoso. Tu és a primeira mulher letrada que encontro — afirmou, com uma admiração que, devo dizer, massageou consideravelmente meu ego. Pobre substituto para outras, e eróticas, massagens, mas, naquela situação eu não estava em condição de exigir mais.

— Além disso — continuou —, escreves muito bem. Eu não conseguia parar de ler. E olha que não sou de muita leitura. Minha sabedoria vem da meditação, não dos livros. E daquilo que os pássaros me ensinam.

Surpreendente elogio, que eu agradeci, agora meio ressabiada: muita esmola para a pobre santa que eu era. Haveria algo por trás daquilo? Havia.

— Quero te fazer uma proposta — ele disse. — Mas antes, deixa-me fazer-te uma pergunta. Conheces o templo que edifiquei? O templo de Jerusalém?

Sim, eu conhecia o templo — por fora, já que entrar ali era coisa vedada às mulheres. A mim não impressionava muito aquela grande, luxuosa construção. Mas ele, ao contrário, considerava-a a grande realização de seu reinado. E aí começou a falar sobre o templo. Tratava-se de um antigo sonho, um sonho que não era só dele, mas de todas as gerações que o haviam antecedido e que a ele coubera tornar realidade. Para tanto, não poupara esforços; em busca de ouro e madeiras preciosas, suas naves tinham cruzado os mares e chegado a regiões longínquas, regiões povoadas por homens bronzeados que andavam nus, adornavam-se com penas de pássaros e falavam uma língua desconhecida. Milhares de trabalhadores haviam sido mobilizados, imensas quantias haviam sido gastas, mas ao cabo de treze anos o Templo estava praticamente pronto, testemunhando a presença de Deus e transformando-se num símbolo de unidade religiosa. Peregrinos agora vinham de todo o país para ali orar, para fazer sacrifícios. Jerusalém se havia tornado cidade sagrada, além de capital política. O que ele considerava um êxito pessoal, uma consagração. Verdade que tinha meio caminho andado, graças à ideia de um deus único. A proibição de ídolos havia ajudado muito, porque cada ídolo é expressão de um grupo e cada grupo tem os seus interesses. O templo representara a superação dos interesses grupais; traduzia a unidade nacional.

— Mas — ponderou, com certa tristeza — é uma obra física, uma coisa material. Espero que resista por muitos séculos, mas quem garante que isso acontecerá? Quem garante que não será destruído? Não quero ser lembrado por ruínas. Quero ser lembrado por algo que dure para sempre. Sabes o quê?

Fez uma pausa, olhou-me, e anunciou, solene:

— Um livro. Um livro que conte a história da humanidade, de nosso povo. Um livro que seja a base da civilização. Claro, o livro, como objeto, também é perecível. Mas o conteúdo do livro, não. É uma mensagem que passa de geração em geração, que fica na cabeça das pessoas. E que se espalha pelo mundo. O livro é dinâmico. O livro se dissemina como as sementes que o vento leva.

Tomou-me a mão — oh, Deus, tomou-me a mão, o meu amado tomou-me a mão, enfim isto acontecia, oh, Deus, Deus, faz com que ele diga agora — agora! — que me ama, faz Deus, por favor, Deus.

Não:

— Quero que escrevas esse livro. Quero que descrevas a trajetória de nossa gente através do tempo. Quero que fales de nossos patriarcas, de nossos profetas, de nossos reis, de nossas mulheres. E quero uma narrativa linda, tão bem escrita como essa carta que enviaste a teu pai. Quero um livro que as gerações leiam com respeito, mas também com encanto.

Eu estava estarrecida, para dizer o mínimo.

Um livro? Era isso o que ele queria de mim? Um livro? Não queria então me levar para a cama, não queria fazer amor comigo — queria um livro? A proposta despertou em mim sentimentos contraditórios. De um lado, era uma decepção — mais uma. Em vez de uma declaração de amor, uma proposta editorial. De outro lado, contudo, eu me sentia lisonjeada com a escolha — prova de que reconhecia em mim um valor. Não era o valor que eu mais prezaria; eu queria que me valorizasse como mulher, como amante. Isso não obtivera — ainda. Paciência. De qualquer forma era uma mudança, extraordinária mudança: de rejeitada — mais, de quase condenada — eu passava à categoria de colaboradora. O que me colocava numa posição especial. Daí em diante, e de alguma forma, eu estaria a seu lado, o sábio rei e sua intelectual esposa.

Agora: era uma tarefa gigantesca, escrever a obra que ele pedia. Eu não tinha a mínima ideia do que fazer, não sabia nem mesmo como iniciar. Súbito desânimo — para não dizer terror — acometeu-me. Dava-me conta de que a chance de fracasso era grande. E um fracasso — mais um fracasso — era uma coisa que àquela altura eu não suportaria. Fracasso como escritora, fracasso como esposa, fracasso como mulher — era só aquilo que a vida me reservava? Por que não me tinha deixado em paz, a vida? Eu estava lá quieta, refugiada na montanha, eu e minha feiura, eu e minha pedra; de lá havia sido arrancada — para quê? Para o sofrimento, para a desilusão, para enfrentar um desafio superior às minhas modestas forças?

Aparentemente sem notar minha angústia, ele continuava:

— Não penses que se trata de promoção pessoal. Para mim próprio, não quero mais que um capítulo, e pode até ser um capítulo curto. Coisa simples, sintética. Claro, a construção do templo tem de entrar, e até com detalhes. Mas não é preciso mencionar que falo com os pássaros. Isso a tradição se encarregará de preservar. Basta que fales de minhas obras, de minha paixão pela sabedoria.

Mirou-me:

— Estás me ouvindo? Estás prestando atenção no que estou te dizendo?

Respondi que sim, que estava ouvindo, que estava prestando atenção.

— Pareces um pouco distraída — observou, meio azedo. —

Quero te lembrar que estamos falando aqui de uma missão. E quero te lembrar também que pesa sobre ti uma acusação.

Percebeu que cometia um erro: se queria minha ajuda, não o conseguiria com reprimendas e ameaças.

— Poderás perguntar — continuou, num tom mais conciliador — por que razão estou solicitando a tua colaboração. É impossível, dirás, que um rei tão poderoso não tenha quem lhe escreva o livro que deseja. E eu te responderei: bem que tentei. Não fazes ideia do esforço-

Interrompeu-se.

— Vem comigo. Quero te mostrar algo.

Atravessamos o salão do trono e chegamos a uma pequena porta, meio oculta por um reposteiro, e que dava para uma ampla sala cheirando a mofo. Do teto ao chão, prateleiras cheias de manuscritos e, sentados ao redor de uma grande mesa, seis mirrados anciãos, os seis com grandes barbas brancas. Mal entramos, puseram-se de pé, olhando-me com uma expressão de ofendido assombro: mulheres não eram bem-vindas naquilo que se constituía obviamente o reduto de saber do palácio. Mas o rei estava ali, e isso era o que importava: cercaram-no e, ignorando minha presença, começaram a falar todos ao mesmo tempo, uma algaravia incompreensível e insuportável. Salomão pediu calma:

— Está bem, senhores, está bem. Mais tarde vamos discutir essas questões todas.

Saímos, ele fechou a porta atrás de si. Voltou-se para mim, com um sorriso melancólico.

— Viste? Esses são os homens a quem encarreguei da tarefa. Há dez anos estão nisso: falam, falam, falam, escrevem, escrevem, escrevem — e não sai nada. Sabem tudo o que é preciso saber, mas brigam tanto entre si que não conseguem chegar a um acordo sobre o texto final. Por isso te chamei. Em primeiro lugar, nada tens a ver com eles: és mulher, e mulher inteligente, disposta. Depois, escreves muito melhor que cada um deles, ou todos juntos. Tua carta é uma prova disto. Eu a li pelo menos três vezes.

Lembrou-se de algo que o fez rir, divertido:

— Aquela parte em que me descreves como um marido insensível... Aquilo estava muito bom. Quase me convenceste de que sou mesmo um vilão. Com a missão que te confio, conto me reabilitar.

Deus, talvez fosse broxa, mas que era uma raposa, ah, isso era também. Com o elogio, me derreti toda. Consegui, porém, conservar o sangue-frio; mais do que isso, fui, modéstia à parte, finória, tão finória quanto ele. Poderia ter dito, faço o livro desde que trepes comigo. Mas aquele não era o momento para tal exigência, com o seu evidente componente de grosseria. Quando terminasse o trabalho, quando lhe levasse a obra completa, dizendo aqui tens, Salomão, o teu templo literário, ele não resistiria, ele cairia em meus braços. Eu seria não apenas a sua esposa letrada, eu seria, de fato e de direito, a rainha.

Admirada que estava com minha própria esperteza, uma dúvida contudo me ocorria. Entre nós dois, quem estaria enganando quem? Questão mais que pertinente; afinal, eu estava tratando com o mais sábio dos mortais, o homem que conhecia tudo sobre o ornitorrinco e que falava a linguagem dos pássaros.

Mas eu não estava interessada em disputar um torneio de astúcia. Mesmo porque a proposta me seduzia, tanto quanto me haviam seduzido seus negros, fundos olhos. Escrever aquele livro não seria só uma realização para ele, seria uma realização para mim também. Templo eu jamais haveria de construir; mas a obra de que ele cogitava estava, sim, ao meu alcance, ainda que eu levasse toda a vida a escrevê-la. Nesse empreendimento estaríamos juntos, ele e eu. Se não partilhávamos a cama, pelo menos partilharíamos um objetivo comum. O texto seria o refúgio em que habitaríamos, só ele e eu, longe das setecentas esposas e das trezentas concubinas, longe do trono e de seus leões, longe dos pombos que em tudo cagavam, longe das intrigas políticas e das audiências públicas. Em verdade, tão excitante me parecia agora a perspectiva de escrever o livro que me sentia gratificada pela simples ideia de nele me envolver, de seguir o fio da narrativa como quem segue uma pista num labirinto. No desconhecido território em que em breve eu penetraria, talvez pudesse andar com a mesma desenvoltura com que evoluía, só, pelas sendas da montanha. Agora: se no caminho encontrasse uma caverna... E se o mestre Salomão quisesse entrar comigo naquela caverna...

As cartas estavam na mesa, pois (havia, claro, cartas na manga, várias cartas em várias mangas, mas essas cartas só seriam usadas mais tarde). E eu já tomara minha decisão. De modo que quando ele perguntou, com a gentileza habitual, se eu aceitava participar no empreendimento, não vacilei: topo, respondi. E acrescentei, um tanto afoita:

— Se for o caso, posso começar já.

Sorriu — nesse momento tive certeza de que já não me achava tão feia, que descobria em mim uma oculta beleza, a beleza da inteligência, da cultura.

— Eu sabia que podia contar contigo. Vou avisar os anciãos que, a partir de agora, és oficialmente a redatora. Amanhã mesmo darás início ao trabalho.

Não brincava em serviço, o rei. No dia seguinte, fui conduzida a um aposento preparado especialmente para mim. Ali residiria até terminar a obra: como ele próprio explicou, não queria que eu me distraísse com as fofocas do harém. Além disso, e até que eu terminasse, o trabalho deveria ser mantido em segredo. Entre outras razões, porque tinha medo de plagiadores e do uso que poderiam fazer do texto. Um líder de oposição que se apresentasse ao público como autor de uma monumental história de nosso povo adquiriria de imediato foros de respeitabilidade capazes de transformá-lo num adversário perigoso. Sábio como era, Salomão temia mais as ideias do que as armas.

Era um lugar grande, aquele. Além da cama e armários, havia uma enorme mesa, cadeiras, e prateleiras cheias de manuscritos, que naquela manhã mesmo haviam sido transferidos da sala dos anciãos. Essa providência representava um claro recado de Salomão para o seu *staff*: tem gente nova no pedaço, amigos, adaptem-se ou sumam.

Sobre a mesa, material de escrever, incluindo um pergaminho novo. Cheirei-o: couro de cabra. Fora sacrificada, a pobre, para que as letras, ainda dançando em minha cabeça, se transformassem em signos visíveis, em palavras. Essas letras, dispostas linha após linha, balizariam o caminho que me levaria à vitória — e ao coração do rei. Bendito pergaminho. Era o meu futuro que eu via naquela superfície virgem, um glorioso e arrebatador futuro.

Passei aquele dia, e os seguintes, revisando o material que os anciãos haviam coletado. O rei tinha razão: era uma mixórdia, aquilo, uma confusa mistura de lendas, fatos históricos, preceitos religiosos, tudo muito mal redigido, e até com erros de grafia. Como fonte de subsídios tudo bem, mas para o livro que Salomão queria, eu teria de começar desde o início. Quando me dei conta disso minha coragem sumiu de novo. De repente a imensidão da tarefa me esmagava; de repente eu já não era a mulher confiante, segura de si, eu era uma garotinha desamparada, tudo o que eu queria era minha mãe segurando-me ao colo como fazia quando eu era criança e tinha febre. Deixei de lado os pergaminhos e deitei-me, arrasada.

Mas não, não podia entregar-me ao desânimo. Precisava vencer aquela inércia, aquela plúmbea melancolia que ameaçava se apossar de mim e aprisionar-me talvez para sempre. Eu tinha uma história para contar — eu tinha uma grande história para contar — e iria contá-la. Saltei da cama como que impulsionada, voltei para a mesa, empunhei o cálamo. Vacilei, porém. Como começar? Fechei os olhos — e nesse momento, vi. Diante de mim uma figura imensa, indefinida, uma diáfana presença imóvel sobre um infinito, escuro oceano. Foi só o que eu vi, mas era suficiente. Na fração de segundo que durou essa visão, pude sentir, na remota figura, a tensão, por toda a eternidade contida: a tensão do universo gestado, mas não criado, a tensão do tempo detido, pronto a iniciar o seu fluxo. De algum modo uma infinitesimal fração daquela incalculável energia a mim se transmitiu. Foi o suficiente: molhei o cálamo na tinta e escrevi: "No começo".

E aí parei, e já não sabia como continuar. Entre a tensão e o ato caiu a sombra, o mistério. No começo — o que, mesmo, tinha acontecido no começo? Minha cabeça estava oca, vazia; eu já não lembrava nada do que lera nas pilhas de manuscritos; as palavras que eu escrevera pareciam-me mais um enigma do que qualquer outra coisa. Então meu olhar se desviou, e eu já não fitava mais as letras e sim o pergaminho, aquela granulosa superfície.

O pergaminho. Era dali que deveria partir rumo às origens, do couro do animal sacrificado para que um dia eu pudesse nele escrever. O couro; antes do couro, a cabra; antes da cabra, as folhas que ela mastigara; antes das folhas, a árvore, a Terra, o universo. Eu precisava refazer aquela história, o que significava voltar no tempo séculos e milênios, precipitar-me no redemoinho cósmico que me levaria... Para onde? Merda, eu não sabia, e aquilo estava me levando, e com uma rapidez assombrosa, a um estado de loucura, mas não loucura comum, loucura existencial, coisa muito séria, coisa para filósofo, não para mocinha feia. O que fazer? Vamos de Deus mesmo, pensei, em desespero, e aquilo me deu enorme alívio. Deus: essa era uma ideia na qual eu podia repousar. Não: uma ideia na qual eu podia me dissolver, mais completamente do que o sal se dissolve na água. A cabra que berrasse no passado, o couro da cabra que me acusasse no presente. Eu ia de Deus. Por que Deus e não Deusa? Por que Jeová e não Astarté, a divindade que outros povos da região veneravam? Por que barba e não face lisa, com no máximo alguns sinais ou talvez até muitos sinais? Por uma simples e definitiva razão: eu não podia começar o grande livro criando caso, ainda mais com meu patrocinador. Salomão falava em Deus, os velhos falavam em Deus, meu pai falava em Deus. Deus!, bradavam as rochas da montanha. Deus!, gritavam os pássaros, os canoros e os mudos. Deus, portanto. Na minha cabeça, Deus seria apenas a energia geradora, não uma figura antropomórfica a reinar sobre a criação. Que Salomão e outros o imaginassem como homem, a mim não importava. Expressaria minha descrença, e meu protesto, abstendo-me de descrever a divindade. Que o imaginassem como um velho de barbas brancas e olhar severo, a mim não importava.

"No começo criou Deus o céu e a terra." Pronto: estava escrito. E, a frase escrita, invadiu-me súbita euforia. Comecei a rir. Ri tanto e tão alto que um dos anciãos — eles estavam na sala ao lado — veio ver o que estava acontecendo. Entrou sem bater e — merecido castigo — encontrou-me ali, sentada à mesa, cálamo na mão, diante do pergaminho. Consumara-se, aos olhos deles, a abominação: eu estava, mesmo, escrevendo a história que até então pertencera exclusivamente a eles, aos anciãos. Não pôde se conter: soltou um berro de ódio e fugiu correndo.

A mim pouco importava. Tendo dado início à tarefa, eu agora iria em frente. "Deus disse, faça-se a luz, e a luz se fez." Ótimo, já tínhamos luz — e trevas também, porque não há luminosidade sem escuridão, sem sombra. Nos parágrafos seguintes foram criadas as plantas, e as estrelas, os peixes e os pássaros... Tudo muito rápido, o que de um lado era bom — eu estava progredindo com velocidade apreciável — mas de outro não me agradava muito. Eu gostaria de mais detalhes. Como é que Deus criou a alface? E o lambari? Eu gostaria de descrever Deus fabricando um peixe qualquer, escolhendo escamas, escolhendo nadadeiras, dizendo, hum, não gostei muito da forma da cabeça, a cauda poderia ser um pouco maior. Mas, convenhamos: aí já estaríamos mais para gabinete de curiosidades do que para texto sagrado. A síntese era essencial para impor respeito. Além disso, eu não tinha todo o tempo do mundo. Dada a magnitude da tarefa, precisava andar ligeiro. Resumi a criação a seis dias, incluindo um sétimo para repouso, deixando bem claro que naquele caso a pressa não fora inimiga da perfeição: "E viu Deus quanto havia feito, e achou que estava muito bom". Não quis colocar "ótimo", ou "excelente", ou "maravilhoso", porque afinal mesmo o Todo-Poderoso precisa ser um pouco modesto. Digamos que na escala de zero a dez ele se tenha autoconferido um oito, a imperfeição correndo por conta dos répteis e da feia.

Essa introdução foi fácil. Mas eu previa dificuldades pela frente. Tratava-se da criação do primeiro homem e da primeira mulher. Os anciãos tinham escrito pilhas de pergaminhos a respeito — uma leitura árida, monótona, que logo abandonei. Em termos de homem e de mulher, de masculino e feminino, eu simplesmente deixaria o meu instinto falar. E foi fácil, deixar meu instinto falar.

Segundo os anciãos, Deus criara o primeiro homem a partir do barro. Eu não tinha nenhuma objeção a essa humilde matéria-prima. Mas por que o homem primeiro, e não a mulher? E por que tinha a mulher sido criada de maneira diferente? A história da costela me parecia tola, para dizer o mínimo, ou talvez até uma afronta, considerando a modéstia dessa peça anatômica.

Decidi corrigir tais equívocos mobilizando para isso as minhas próprias fantasias. Criados, o primeiro homem e a primeira mulher enamoram-se loucamente um do outro, e aí transformam o Éden num cenário de arrebatadora paixão. Fodem por toda parte, na grama, na areia, à sombra das árvores, junto aos rios. Fodem sem parar, como se a eternidade precedendo a criação nada mais contivesse que a paixão deles sob forma de energia tremendamente concentrada. O encontro dos dois era, portanto, uma espécie de Big Bang do sexo, muito Big e muito Bang. Todas as posições eram usadas, todas as variantes experimentadas, isso sob o olhar curioso das cabras e dos ornitorrincos e, mais, sob o olhar benévolo de Deus.

Que, na minha versão, não os expulsava do Paraíso; ao contrário, encorajava-os: agora que descobristes o amor, podeis enfrentar a vida como ela é, a vida cheia de som e de fúria.

Terminei o capítulo, reli-o. Estava muito bom, tão bom que uma dúvida me ocorreu: era aquele, realmente, um texto histórico? Não estaria eu, em verdade, transmitindo uma mensagem — a Salomão? Algo como, olha aqui, seu broxa, este é o modelo que tens de seguir, e fica sabendo que quem é tórrida no texto é tórrida no leito? Será que eu não estava querendo excitá-lo? Eu tentava me convencer que não, que simplesmente empolgara-me o relato de dois amantes no Paraíso — mas foi com certo receio, e expectativa, que levei o pergaminho ao rei.

Salomão leu-o em silêncio. Depois deixou de lado o manuscrito e ficou uns momentos a refletir, olhar perdido. Como eu no fundo temia, minha versão causava-lhe um problema. Que ele optou por adiar:

— Não sei — disse, finalmente. — Vou ter de pensar um pouco sobre o que escreveste.

Uma pausa, e acrescentou:

— E quero também ouvir a opinião dos anciãos. Afinal, eles são os depositários da sabedoria do passado.

O sangue me subiu à cabeça.

— Escuta, Salomão — eu disse, esforçando-me por manter a calma —, se vais ouvir aqueles velhos a respeito do meu texto, estamos perdendo tempo. Aqueles caras nunca o aprovarão. Eles —

Ia dizer, eles não passam de um bando de impotentes, mas contive-me: não se fala de corda em casa de enforcado.

— Eles têm outro estilo de narrativa, tu sabes.

Mais uma vez, recorreu à conciliação:

— Eu sei, eu sei. Mas vamos ver se chegamos a um meio-termo satisfatório para todos. Mesmo porque esses velhos têm alguma força. Foram todos indicados pelo sumo sacerdote do templo, e com o clero, tu sabes, não se pode brincar.

Não havia mais nada a dizer. Despedi-me, pedindo que me chamasse tão logo tivesse analisado aquela parte.

Voltei aos meus aposentos, deitei-me. Inquieta, não conseguia dormir. Quando, finalmente, estava quase conciliando o sono, bateram à porta. Não eram as batidas enérgicas dos guardas, ou da encarregada do harém. Não, eram batidinhas tímidas, furtivas, que me deixaram mais intrigada do que assustada: quem seria, àquela hora da noite? Salomão? Salomão que, tendo enfim descoberto seu amor por mim, vinha a meu leito, para a tão esperada noite de núpcias? Pouco provável. Salomão não precisaria bater à porta: ele era o dono, dono do palácio, da mulher, de tudo. Agora: se não era Salomão, só podia ser um chato qualquer. Levantei-me, aborrecida, e, lamparina na mão, fui abrir.

Diante de mim estava um ancião, um dos seis gnomos barbudos designados para guiar-me na elaboração dos textos. Eu não sabia o seu nome; aliás, não sabia o nome de nenhum deles; para mim eram todos iguais, uns clones encarquilhados. Por que teria aquele se desgarrado do grupo? Por que estava à minha porta, um sorriso alvar naquela cara idiota, gaguejando desculpas pelo inapropriado da hora?

— Estou aqui por causa do trabalho — disse, mostrando um pergaminho: o meu pergaminho, o pergaminho no qual eu estivera trabalhando. — O trabalho que o rei nos encomendou, sabes.

Nos encomendou. Já éramos sócios no trabalho. O que representava certo progresso. Pelo jeito, a desconfiança estava dando lugar — ainda que em estranho horário — à parceria.

— Fiquei lendo o teu texto até agora — continuou. — Está bom, muito bom. Mas acho que alguns detalhes deveriam ser, como eu diria, discutidos... A propósito, posso entrar? Sei que é tarde, mas o assunto é importante...

Agora sim, a coisa estava ficando esquisita. Discutir o texto, àquela hora da noite? Minhas suspeitas cresciam. Achei melhor cortar o papo.

— Não pode ficar para amanhã? Para dizer a verdade, estou meio cansada.

— Por favor — o tom agora era súplice. — É que eu... Tenho medo de esquecer... Isto acontece, tu sabes...

Se tinha medo de esquecer, porque não tomava notas? Pergaminho não lhe faltava para isso, o estoque que Salomão tinha colocado à nossa disposição era praticamente infinito. Definitivamente, a história estava mal contada. Mas parecia tão desamparado, o homenzinho, que acabei ficando com pena dele:

— Entra, então.

Mais que depressa ele transpôs a soleira. E, uma vez dentro, já se sentia à vontade. Lançou um olhar inquiridor ao redor.

— Não há dúvida, estás bem instalada, aqui... Melhor do que nós, bem melhor. É a vantagem de gozar de certos favores do rei, não é mesmo?

Risadinha que pretendia ser cúmplice. Mas cumplicidade em mim não encontraria. Continuei a olhá-lo, fixo. Sem graça, optou por mudar de assunto. Exploraria agora o tema dos laços de amizade. Gárrulo:

— Sabes que conheço teu pai?

— Verdade?

— Verdade. — Ar triunfante. — Fomos até muito amigos... Ele não deve se lembrar de mim, mas sempre tive grande admiração por sua energia... Sua capacidade de liderança... Grande figura, o teu pai. Mulherengo, mas grande figura. — Deu-se conta da gafe, voltou atrás: — Perdoa, eu não quis ferir teus sentimentos. Mas é que fomos jovens juntos, teu pai e eu. A vida nos separou, mas de vez em quando me chegavam notícias dele: que havia casado, que tinha uma filha inteligente, prendada...

Bonita, não. A esse ponto não chegaria, na bajulação. Podia rotular-me de inteligente, de prendada, mas omitiria toda e qualquer referência à aparência física, o que não deixava de ser divertido. Divertido ou não, aquele papo começava a me dar nos nervos.

— Desculpa, a conversa está muito boa, mas, como te disse, estou cansada e amanhã tenho muito trabalho. Se pudesses ir direto ao ponto...

— Direto ao ponto. — Como se estivesse falando com uma testemunha invisível. — Ela quer que eu vá direto ao ponto... Bem, então vamos direto ao ponto, o que se há de fazer? Vamos direto ao ponto. É o seguinte: como sabes, o rei encaminhou-nos o teu texto para que avaliássemos e déssemos um parecer.

Hum. Aquilo podia ser importante: Salomão seguramente levaria em conta a opinião dos velhos. Era bom, portanto, que eu estivesse previamente informada a respeito. Mas não queria demonstrar ao homenzinho meu interesse. Perguntei, no tom mais casual possível, qual havia sido o parecer. Sorriu, triunfante — ah, te peguei, mulher, descobri o teu ponto vulnerável.

— Ainda não o elaboramos. E é por isso que eu estou aqui. Como te disse, quero discutir certos detalhes que a mim, em particular, pareceram — como direi? — um tanto intrigantes.

Intrigantes? O que podia haver de intrigante naquele texto tão claro, tão direto — ainda que poético? Ele decerto notou meu cenho franzido, porque apressou-se em acrescentar:

— Intrigantes para mim, naturalmente. Intrigantes, mas... — mostrou de novo os dentes num sorriso — ... fascinantes. Eu nunca tinha lido nada no estilo.

Fez uma pausa, fitou-me como a estudar minha reação, e prosseguiu.

— Para uma mulher tão jovem, revelas um grande conhecimento da vida. — Piscou o olho. — É de experiência própria, esse conhecimento?

Ah, sim, agora estávamos no terreno da safadeza propriamente dita. O que, naquele momento, não me preocupou: o velhinho tinha direito à sua quota de sacanagem. Que dissesse duas ou três graçolas daquelas e depois se fosse — tudo estaria bem, mesmo porque eu não queria brigar com os gnomos. De modo que também respondi com um sorriso.

— Isso é apenas o instinto feminino.

— Ah. — Olhar de viés, maroto. — O instinto feminino. Entendi.

Ficou ali me fitando, imóvel, com uma cara de franco deboche. Agora sim, eu começava a me incomodar. Aquele diálogo idiota já enchera o saco. Além disso, estava com a bexiga cheia, queria urinar, e nada de o anão ir embora. Resolvi apressar a marcha dos trabalhos.

— Mas, afinal, o que há de tão diferente no que escrevi?

Não respondeu de imediato. Baixou a cabeça um instante e ali ficou, careca reluzindo à luz do archote. Por fim ergueu os olhos, e era muito estranho o brilho que havia em seu olhar. Por Deus, muito estranho.

— Perturbou-me, o teu texto. Perturbou-me muito. Aquela parte em que descreves Adão e Eva fazendo amor sobre o capim molhado... Puta merda, aquela parte é fogo. Aquela parte —

Interrompeu-se e, num gesto brusco, abriu a túnica.

Coisa espantosa: estava de pau duro. Era um pênis enorme, o dele, comicamente desproporcional à diminuta estatura do homenzinho, um vergalhão imenso que quase, eu diria, o desequilibrava. A vontade que tive foi de rir, de rir às gargalhadas, de estourar de rir diante daquela cômica cena. Mas não era momento para rir, era momento de dar um basta àquela coisa toda, que, em verdade, já passara de todos os limites.

— Mas o que é isso, velho? — gritei. — O que estás pensando? Achas que, por teres a confiança do rei, podes fazer o que queres? Eu sou esposa de Salomão, nojento. Se eu contar isso ao meu marido, ele manda te cortar em dois. Abominação, é o que fazes! Abominação! Eu —

Interrompeu-me, nervoso, agitado.

— Por favor — sussurrou, quase chorando. — Por favor! Sim, é uma loucura, isto, posso até pagar com a vida, mas — sabes há quanto tempo eu não tinha uma ereção? Quanto tempo? Anos. Décadas. E não é coisa da velhice, não, porque na minha família os homens trepam até os cem anos. Fiquei broxa por causa de minha mulher, aquela víbora. Ela nunca quis nada com sexo, repelia-me com brutalidade quando eu tentava alguma coisa. Vai estudar os textos sagrados, dizia. E eu ia estudar. E estudava, estudava. Que remédio? Estudava, estudava. Sabia tudo sobre o vício e o pecado, sobre a virtude e sobre a abominação. Especialmente sobre a abominação. Ah, sim, sobre a abominação sabia tudo. Se quiseres posso te fazer uma lista detalhada, com todas as formas possíveis e imagináveis de abominação. Agora: de que me adiantava estudar? Eu estava infeliz, vivia no seco, sonhando com uma trepada. Quem me dera um pouco de abominaçao, eu pensava. Mas nada, abominação só nos livros. Na vida real, só tristeza, aquela frustração. Mas então tu apareceste, e com umas poucas linhas despertaste em mim um desejo que eu imaginava morto, acabado... É maravilhoso! É um milagre!

Eu não sabia o que dizer. De um lado, envaidecia-me aquela confissão. Se não como mulher, ao menos como escritora eu obtivera um expressivo triunfo: despertara uma súbita e inesperada paixão. Paixão de duende decrépito, sim, mas exatamente por se tratar de um duende decrépito, semi-impotente, não era maior o meu triunfo, ainda mais considerando minha feiura como importante capitis diminutio? O problema é que eu não estava a fim. Ser desvirginada por aquela figura lamentável — aquilo sim, era abominação. Mais importante, contudo: não era ele que eu queria, era Salomão. Ah, se o rei entrasse naquele momento se daria conta de que, feia embora, eu podia deixar alguém — mesmo um ancião, até um ancião — de pau duro. E talvez aquilo o inspirasse; talvez, indignado, pusesse o velho a correr, dizendo, na minha esposinha ninguém põe a mão, vem, querida, vem, esquece esse mostrengo, deitemo-nos e amemo-nos. Esperança vã, contudo. Salomão não apareceria; um guarda talvez sim, se eu gritasse mais alto. Mas eu não queria gritar mais alto, não queria magoar o homem, que, de alguma forma, me estava prestando uma homenagem. Disse-lhe, portanto, que muito me sensibilizava aquela declaração dele, e que em outras circunstâncias não hesitaria em acolhê-lo no meu leito, mas que no momento não era possível, toda minha atenção estava concentrada no trabalho, só no trabalho.

Não me ouvia. Aproximou-se devagarinho, olhos brilhando, trêmulo de desejo. E aí, com surpreendente agilidade, tentou agarrar-me. Repeli-o, delicada mas firmemente. Tentou de novo, e dessa vez o empurrei, com tanta força que ele caiu e rolou pelo chão. Quis levantar-se, embaraçou-se na túnica, caiu de novo. Tão cômico era aquilo, tão patético, que não pude conter-me e caí na gargalhada. O que o deixou fora de si. Pôs-se de pé, e, ainda cambaleando, apontou-me um dedo irado:

— Estás rindo, tu? Tu estás rindo? Rindo de mim, cadela do deserto? Rindo porque eu quis trepar contigo, coisa que ninguém jamais fará, muito menos o Salomão? Vai te enxergar, mulher. Tu és um bagulho, és um monstro de tão feia. Mesmo assim eu, e só por pena, te ofereci sexo. E tu recusaste! Idiota! Mas não perdes por esperar.

Mirou-me, triunfante no seu ódio:

— Sabes quem os anciãos encarregaram de dar o parecer final sobre o texto? Sabes quem? Eu. Eu mesmo. Estou encarregado de dar um parecer sobre a merda que escreveste. Agora: adivinha qual será o parecer! Adivinha! Isto aqui é lixo, desgraçada! Isto aqui é abominação!

Tentou rasgar o pergaminho — para atirar os pedaços na minha cara, decerto —, mas, sendo o couro resistente, não o conseguiu. Tentou, tentou — nada. Por fim, atirou-o no chão e se foi, resmungando impropérios.

Minha sensação era de triunfo: de algum modo preservara minha dignidade. De algum modo vingara-me do espelho e de todos quantos haviam debochado de mim. Vingança esquisita, vingança melancólica, mas vingança.

Havia um outro motivo de satisfação. Meu texto acabara de ser, ainda que grotescamente, testado. O velho fora uma espécie de cobaia. Se eu conseguira enlouquecê-lo, Salomão não me resistiria. O que eu tinha de fazer era isso: continuar com lúbricas descrições, até que, arrebatado, ele invadisse meu quarto, gritando não posso mais, quero-te agora, quero-te toda para mim. Tens não apenas o texto, eu lhe diria, como também a autora. E seríamos felizes para sempre. Com essa certeza fui dormir, satisfeita.

O incidente com o velho teria, porém, sérias consequências, como logo vim a descobrir. Acordei de manhã cedo com um guarda batendo — e dessa vez eram batidas fortes, insistentes — à porta. Salomão ordenava que eu comparecesse à sala do trono. Fui, e já agora com maus presságios.

Lá estava o rei, sentado no seu trono. Junto a ele os seis macróbios, todos de cara amarrada: boas coisas o velho não lhes teria contado. Preparei-me para uma mijada, mas o que veio foi pior.

Escolhendo, como sempre, as palavras, Salomão disse que já estava de posse de um parecer sobre o relato que eu escrevera. Minhas qualidades de estilista eram ali reconhecidas, mas o mesmo não se poderia dizer quanto à narrativa propriamente dita, que encerrava algumas distorções. Considerando a importância do livro que estava sendo preparado, diretrizes teriam de ser adotadas, para evitar o que chamou, eufemisticamente, de acidentes de percurso. Daí em diante eu teria de me restringir unicamente à redação do texto. O conteúdo seria fornecido pelos anciãos, que também teriam poder de veto sobre tudo o que eu escrevesse. Enquanto falava, eu mirava o velho safado. Ele procurava manter um ar neutro, distante, mas estava evidentemente deliciado com as palavras do rei.

Eu fora derrotada, fragorosamente derrotada. Minhas esperanças de seduzir Salomão via texto tinham ido por água abaixo. Pior: agora os velhos assumiam o comando, e eu não tinha ninguém que me defendesse. Como dissera o próprio rei, os anciãos, com sua fama de erudição adquirida ao longo de décadas (todos ali haviam servido a Davi, pai de Salomão) e graças às suas poderosas conexões, eram personagens importantes. Ainda que não ocupassem cargos no governo, formavam uma espécie de supremo, e informal, conselho, que conferia à realeza uma parcela de sua legitimidade. Contra eles eu não tinha a mínima chance. Ouvi, portanto, em silêncio o veredicto. Tudo que me restava era a submissão.

Assim, me vi, no dia seguinte, escrevendo a história tal como eles queriam. A mulher sendo fabricada a partir de uma costela de Adão. A mulher dando ouvidos à serpente. A mulher provando do fruto da Árvore do Bem e do Mal. Em suma: a mulher cagando tudo. E aí vinha aquela história do Caim e do Abel, os dois filhos do casal (dois filhos: nenhuma filha. Ou seja, não teriam chance de se reproduzir, nem por incesto). O Abel pastor (de ovelhas, não de cabras), o Caim agricultor; os dois brigam, em vez de optar por um empreendimento agropastoril conjunto, o que seria mais lógico e rendoso. Deus recusa, por alguma razão que só ele e os anciãos sabiam, as oferendas de Caim. Ciúmes — e crime. Estava inaugurada a sangueira, para deleite do cafajeste velho. O texto agora espelharia a sua fúria, o rancor não extravasado.

Minhas atribulações não pararam por aí. No mesmo dia em que escrevi a história desse crime fiquei sabendo, por um servo do palácio, o que acontecera com o pastorzinho. Eu imaginava que, depois de ter entregue o pergaminho aos soldados, o rapaz se fora em paz. Mas não, ele não apenas se recusara a entregar minha mensagem como, disposto a defendê-la até com a vida, tentara reagir, entrando em luta com os soldados. Acabara perdendo o braço, decepado a golpe de espada. E depois sumira.

Como é fácil imaginar, essa história deixou-me abaladíssima. Pobre rapaz, pagara caro pela disposição de me ajudar. Pior: tratava-se de um sacrifício completamente inútil e que me deixava acabrunhada, deprimida. Eu já não pediria a meu pai que sequestrasse o rei para obrigá-lo a fazer amor comigo. Na verdade, já nem pensava nisso. Sexo, agora, ficava em segundo ou terceiro ou quarto plano.

Voltei ao trabalho, que se tornara extremamente difícil. Com a autoridade reforçada, os anciãos tripudiavam. Obrigavam-me a refazer várias vezes o que eu escrevia. E o que eu escrevia, como o episódio de Caim e Abel, só me causava desgosto.

Tentei reagir. Quis que, ao menos, se dessem conta das incongruências na sombria história desse primeiro assassinato. Segundo os velhos, depois de ser devidamente amaldiçoado Caim teria protestado diante do Senhor: "Quando estiver fugindo e vagueando pela terra, quem me encontrar, matar-me-á". Mas quem seria esse potencial matador se, de acordo com a narrativa, até aquele momento só existiam Adão, Eva, e o próprio Caim, além do falecido Abel? Foi a pergunta que fiz aos anciãos, em tom respeitoso, como eles exigiam, mas, no fundo, gozando com a possível perplexidade que a questão causaria.

Mas perplexos nunca ficariam. Olharam-se, sim, mas como a dizer, além de feia é burra, e um deles respondeu, seco.

— Redige e não faz perguntas.

A narrativa prosseguia, sempre com catástrofes. Explicável: de acordo com eles a maldade, a abominação — pelo jeito não pensavam em outra coisa — eram a regra entre os descendentes de Adão, que, por isso, periodicamente teriam de ser castigados. Como Adão e Eva, como Caim; só que essas haviam sido punições restritas, individualizadas. O roteiro deles previa um castigo abrangente, espetacular, uma verdadeira superprodução em termos de flagelo para a humanidade. No próximo capítulo, anunciaram, choverá quarenta dias e quarenta noites. O que, para mim, vinda de uma região desértica, era inacreditável. Pensar que Deus nunca tinha atendido aos nossos pedidos de chuva: tudo o que conseguíamos com as preces eram miseráveis chuvisqueiros. Mas eles não estavam pensando em benefícios para a lavoura. Com a chuvarada, um dilúvio inundaria a face da Terra. Todas as criaturas seriam exterminadas, anunciaram, triunfantes.

Aquilo agravou muito a minha depressão. Fui para os meus aposentos e chorei, chorei por horas a fio. Eu tinha perdido a esperança de conquistar Salomão, tinha perdido a vontade de trabalhar no texto, tinha perdido tudo; só ficara com a minha desolada e eterna feiura. Não via mais nenhum sentido em minha vida.

Resolvi acabar com aquilo de vez. Buscaria na morte a solução para os meus tormentos. Primeiro, escreveria uma carta a Salomão explicando minha decisão e garantindo que o amaria para sempre. Em seguida, com uma faca, cortaria a jugular derramando meu sangue sobre o pergaminho. Que talvez se tornasse ilegível, mas isso não me importava.

Salvou-me da morte a minha desorganização. Meu aposento tinha uma pequena cozinha, e talheres, mas eu não conseguia encontrar o raio da faca. Lembrava-me que a usara na noite anterior para descascar uma maçã, mas onde a pusera? Sumira, como por encanto. Pus-me atabalhoadamente a procurá-la.

Nesse momento bateram à porta: de novo, um guarda do rei. Salomão queria me ver. Eu podia dizer ao homem, agora não posso, estou a ponto de me suicidar, informa ao teu rei que a feia vai deixar este mundo; mas vi no fato uma mensagem do destino. Ou, o que era para mim mais importante, uma prova da sabedoria e da sensibilidade do monarca. Seguramente se dera conta do que acontecia comigo (a coitadinha é capaz de fazer uma bobagem, saiu daqui tão desesperada) e mandara me chamar. Ainda assim vacilei. Valeria a pena atender a tal chamado? O que poderia Salomão me dizer que eu já não soubesse? Mas eu não tinha mais nada a perder. Como diziam os anciãos de minha aldeia, para se matar sempre há tempo. Vesti-me, segui o guarda.

Encontrei o rei sozinho, não no trono, mas num confortável divã. Aparentemente já esquecera os últimos acontecimentos; mostrava-se amável, sorridente. Levantou-se, veio a meu encontro, conduziu-me pela mão, fez com que eu me sentasse a seu lado. Apesar de tudo, afirmou, estava muito contente com o meu trabalho — que ultrapassara em muito sua expectativa. Abraçou-me, acariciou-me o rosto. E quando comecei a chorar, ele disse: chora, querida esposa, derrama tuas lágrimas, isso te fará bem.

E me fez bem, mesmo. Saí dali segura de que, se ele não me amava, tinha por mim muito afeto, um afeto que poderia, com o tempo, se transformar em amor. Eu precisava de muita paciência, muita persistência. Como os agricultores da minha região quando tentavam cultivar suas frágeis plantinhas na terra esturricada. Um dia a flor da paixão brotaria ali.

Fui à sala dos anciãos com outra disposição. Animada eu não estava, confortada, sim. E, felizmente, não era tão ruim a narrativa que teria de transcrever. Sim, um dilúvio liquidava a humanidade e todas as criaturas vivas (que maldade, mesmo, tinham cometido as couves?), poupando obviamente os peixes, que nessa massa imensa de água só teriam motivos para celebrar; mas Deus dá uma colher de chá aos humanos permitindo que Noé se salve na Arca. Diverti-me muito, imaginando o embarque dos animais nessa Arca, o cotidiano lá dentro... Pelo menos era uma coisa interessante.

Foi mais do que isso. Foi revelador. De repente eu me via no lugar de Noé, na proa de um enorme e estranho barco, contemplando a imensidão das águas, aquele vasto oceano sem ilhas, sem praia, a líquida superfície que refletia a insondável face de Deus. Como Noé, eu era uma sobrevivente; uma sobrevivente de minha desgraça. Não me afogaria no oceano de minhas próprias lágrimas; o trabalho seria a minha pequena, modesta Arca. Escorraçada de um texto no qual já não me reconhecia, eu me refugiaria não nas linhas, mas nas entrelinhas. Ali eu deixaria uma muda e críptica mensagem, uma mensagem que, como a garrafa lançada ao mar, talvez chegasse a alguém, num futuro próximo ou distante. E eu estaria ali, celebrando o amor de Adão e Eva, e de muitos homens e mulheres cujos nomes não figuravam nos alfarrábios dos velhos, mas que nem por isso eram menos importantes como seres humanos. Anônima eu também seria, mas traços de minha paixão figurariam, de algum modo, no manuscrito.

Naquela noite, olhei-me num espelho. Mais uma vez, achei que havia mudado: minhas feições agora eram um pouco menos duras, a expressão dos olhos um pouco mais doce. Eu tinha a certeza de que estava a caminho — na vida e no texto. Muitas gerações seriam necessárias, em termos da narrativa a ser escrita, para que eu chegasse a meu destino — mas eu o conseguiria, disso estava segura.

E as gerações se sucediam, no relato dos anciãos, que agora abandonava a humanidade como um todo e se concentrava nos hebreus, começando pelos patriarcas. Um terreno no qual se moviam com desenvoltura. De patriarcado certamente entendiam, e deixavam bem claro que aquele era um modelo perfeito, o pai de todos os modelos. Ocorreu-me que aquilo talvez fosse uma jogada política: patriarcas no início, juízes depois, reis no fim, eles estavam sugerindo que havia um continuum de poder que se iniciava em tempos imemoriais e culminava com o patrão deles, Salomão. Essa era uma abordagem que eu não podia — e não queria — pôr em questão. Ao grosseiro maquiavelismo deles teria de contrapor um outro, e amável, maquiavelismo, o maquiavelismo do sentimento camuflado. Eu recuava para depois, como uma gazela, saltar por cima dos obstáculos e correr livre pela pradaria do amor.

Limitei-me, pois, a escrever a história dos ditos patriarcas, figuras que me pareciam mais bem perplexas, o que explicava sua ansiedade em agradar ao Senhor. Jeová manda, Abraão obedece, mesmo que essa obediência implique sacrificar o próprio filho. Atreve-se a, no máximo, um pouco de barganha, graças à qual consegue do Senhor uma redução progressiva no quorum de justos necessário para salvar Sodoma.

Justiça seja feita, apareciam mulheres também, e tinham certa importância e dignidade. Claro, não eram imunes às fraquezas humanas: Sara sacaneou a pobre Agar, com quem Abraão tivera um filho, mas isso pelo jeito era parte do jogo de poder tribal. Sacanagem muito pior fora a daquele velho safado que viera para cima de mim. E que, a propósito, cobrava com juros e correção monetária a suposta ofensa que eu lhe infligira. Não perdia ocasião para me humilhar.

— Escreve aí: Rebeca, mulher de Isaac, era muito bela. Ouviste? Era muito bela. Isaac não escolheria uma mulher feia. Jacob também não. Apaixonou-se por Raquel porque ela era bela. Feiura, no relato sagrado, não tem vez. Feiura é abominação.

Ofensas à parte, escrever sobre os patriarcas teve sobre mim um efeito inesperado: ajudou-me a entender o meu pai. Ele se considerava, obviamente, um descendente de Abraão, Isaac e Jacob. Sob esse prisma, sua arrogância me parecia até compreensível. A imagem que eu tinha dele, meu pai, mudara: lembrava-o com saudade, com ternura até. A distância minimizava seus defeitos; com o tempo eu o perdoaria. Mas aí ele apareceu no palácio.

Foi uma surpresa: chegou sem nenhum aviso. E não viera por minha causa. O objetivo declarado de sua viagem era a visita que, periodicamente, devia realizar ao Templo, cumprindo seus deveres religiosos; na verdade, porém, vinha reforçar seus laços políticos com Salomão, e obviamente aproveitaria para ver-me: afinal, eu era sua filha e, ademais, casada com o rei.

Foi o próprio Salomão quem o trouxe aos meus aposentos. Abriu a porta e, sorridente, anunciou:

— Tenho uma surpresa para ti. Uma visita.

Ato contínuo entrou meu pai, barulhento e desagradável como sempre.

— Olha a minha filha! A menina que eu carreguei nos braços — agora é rainha!

Abraçou-me com efusão; depois, mirou-me da cabeça aos pés, sim senhora, o pessoal aqui te trata bem, estás muito elegante. Não disse que eu estava bonita, obviamente, mas tanto não se lhe podia exigir. Salomão observava a cena com um sorriso divertido; depois, dizendo que tinha muito a fazer, pediu licença, precisava se retirar.

— Cara legal, esse rei — comentou meu pai. Olhou ao redor, satisfeito com o que estava vendo. — Estás bem instalada, aqui. Este teu quarto é maior do que a nossa casa inteira.

Perguntou como era a minha vida no palácio, o que eu fazia o dia inteiro. Eu respondia com evasivas. De repente, notou as prateleiras cheias de pergaminhos. Fechou a cara:

— Mas tu continuas com aquela mania de escrever? Pensei que já tinhas acabado com essa porra!

Aí eu cansei de encenação. Estou, sim, escrevendo, disse, é só o que eu faço o dia inteiro.

— É um trabalho para o rei — acrescentei, seca.

— Trabalho? — Ele, claramente ofendido: trabalho era coisa para escravo, não para uma esposa real. — Mas que história é essa? Filha minha trabalhando para o rei, fazendo papel de empregada? Não foi para isso que eu te dei ao Salomão. Dei-te a ele para que tivesses um lugar de honra no harém. Em vez disso estás aí, escrevendo! Sacanagem, pô!

Calou-se, furioso. Mas logo em seguida voltou à carga, dessa vez em busca do bode expiatório. A cabra expiatória.

— A culpa é tua. Quem mandou aprender a ler e a escrever? Eu sabia que essa história não ia dar certo. Falei pra tua mãe: negócio de mulher não é esse, negócio de mulher é outro, é na cama. Nem eu, que sou chefe, sei ler e escrever. Por que precisavas te meter a besta? Já não bastava tua feiura, tinhas de bancar a inteligente? Está aí o resultado: as outras setecentas mulheres estão lá no harém, passando bem, comendo do bom e do melhor, banhando-se, perfumando-se, e tu aí, gastando a bunda numa cadeira, trabalhando nessas merdas de pergaminhos. Já te deste conta da vergonha que isso representa para mim? O que vou dizer, quando for ao Templo e encontrar os outros chefes de tribo? Hein, o que vou dizer? Que minha filha trabalha mais do que uma escrava? Não posso entender o que está acontecendo aqui. Francamente, não posso entender.

Mal o disse, algo lhe ocorreu — e o rosto imediatamente se lhe toldou.

— Quero saber uma coisa — disse, num tom muito ominoso. — Ele já te desvirginou?

Que merda: não tive coragem de enfrentá-lo. De súbito, eu era a criança assustada com quem gritava e em quem, volta e meia, batia: porque eu tinha derramado uma caneca de leite de cabra, porque eu não tinha varrido a casa — alguma coisa errada eu estava sempre fazendo, além de ter nascido feia, o que também era culpa minha e uma falta monstruosa. Não me perdoaria se contasse a verdade. Seria o fim do mundo. Talvez eu estivesse também com pena daquele homem, que não passava, afinal, de um aldeão ignorante, cuja grande realização teria sido ver a filha como a esposa preferida do rei. Optei, pois, pela mentira.

— Já, pai. Já me desvirginou. Cumpriu sua obrigação.

— Menos mal. — Ele, ainda zangado, mas agora um pouco aliviado. Alguma coisa tinha se salvado do desastre: o casamento se consumara, sua honra estava preservada. Feliz por poder mudar de assunto, começou a falar sobre o Templo, onde estivera naquela manhã, cumprindo suas obrigações para com a religião. Coisa espetacular, aquele Templo, em mármore e cedro, tudo revestido de ouro — um luxo. Naquele Templo dava gosto fazer sacrifício. No seu entusiasmo, mandara matar três ovelhas, embora uma única fosse suficiente para saldar suas dívidas para com as altas esferas. Considerava-se um homem justo, ainda que seus inimigos, que não eram poucos, pensassem o contrário, e andassem espalhando que-

Calou-se. Ficou um instante em silêncio, na face — e era uma face torturada, aquela — uma expressão sombria. E então, num tom contido, desconfiado, perguntou:

— Vais falar de mim?

— Como? — Eu não sabia ao que ele estava se referindo.

— Nesse tal livro. Vais falar de mim?

A pergunta soou-me tão absurda que me pus a rir. Ri, ri muito, enquanto ele, perplexo e irritado, me olhava sem compreender. Finalmente consegui me conter.

— Não — disse, enxugando os olhos. — Não vou escrever sobre ti.

— Ah, bom. Não quero que ninguém escreva sobre mim. Quando eu contar minha vida, vai ser da minha maneira. E quem vai escrever será um escriba da minha confiança. Quanto a ti, podes falar dos reis e dos profetas e de quem quiseres, mas de mim, não. Não preciso disso.

A arrogância, contudo, mal disfarçava a decepção. No fundo nutrira, ainda que momentaneamente, a esperança de figurar na narrativa ao lado de Salomão, o rei poderoso, o construtor do Templo — quando mais não fosse por ter dado a filha em casamento ao soberano.

Tão desconcertado estava que resolvi mudar de assunto. Perguntei por minha mãe e minhas irmãs. Fez um gesto vago, como a dizer: tudo na mesma, com aquelas não há novidades. E aí algo me ocorreu: talvez ele soubesse do pastorzinho. Criei coragem e perguntei pelo rapaz.

— O comedor de cabras? — Riu, com desprezo. — Teve o castigo merecido. Depois que saiu da aldeia veio parar aqui em Jerusalém, na certa tramando uma sacanagem qualquer. Mas se deu mal: meteu-se numa briga com os soldados de Salomão. Os caras cortaram-lhe um braço. Só escapou da morte porque alguém cauterizou o coto com azeite fervendo. Aí voltou para a aldeia.

Franziu a testa.

— Aliás, contou uma história muito esquisita. Disse que os

soldados o atacaram porque não quis entregar-lhes uma carta — uma carta que terias escrito para mim. Tu me escreveste alguma carta?

— Carta? — Eu nunca me julgaria capaz de tal hipocrisia, fingia assombro com perfeição: sem dúvida, estava aprendendo rapidamente a mentir. — Não. Não escrevi carta nenhuma.

— Eu sabia — disse ele, triunfante. — Sabia que o safado estava mentindo. Nunca prestou, aquele ordinário. Eu até fui muito bom com ele. Deveria ter mandado apedrejá-lo até a morte. Mas não, fiquei com pena — e foi nisso que deu.

— E o que foi feito do cara? — perguntei, no mesmo tom casual de antes.

Fez um gesto vago.

— Mandei-o embora. Que fosse contar suas histórias em outra freguesia.

— E ele? Foi embora?

— Foi. E sabes o que faz agora? Juntou-se a um bando de fanáticos religiosos comandado por um velho louco. Dizem-se defensores da religião, mas para mim não passam de bandidos. Vivem atacando os soldados de Salomão. Loucura. Sem-vergonhice. Onde é que já se viu, contestar a autoridade do rei? Nunca tivemos um monarca como Salomão, nunca teremos. Olha só o Templo. Olha só o palácio. E a imagem que ele tem — nunca um rei de Israel teve uma imagem melhor no exterior. Uma fama merecida, aliás. Um homem tão inteligente, tão sábio...

Começou a contar a história das duas mulheres que disputavam um recém-nascido, mas eu já não o ouvia: pensava no pastorzinho, que se sacrificara por minha causa. Era minha obrigação fazer alguma coisa pelo coitado. Mas como ajudá-lo, ele foragido, sem paradeiro certo? Agora era tarde demais. Aquela culpa eu teria de carregar.

Meu pai anunciou que ia à sala do trono, onde Salomão o receberia. Perguntei se queria que eu fosse junto. Não, não queria. O que tinha a tratar com o rei eram questões relevantes, que a mim não diziam respeito. A audiência deveria durar uma hora, e depois dela meu pai se poria a caminho: era uma longa jornada, até a aldeia. De modo que nos despedimos ali. Recomendou que me cuidasse, que pensasse bem no que ia escrever no tal livro. Num impulso, abraçou-me; e depois, mirando-me com os olhos úmidos, confidenciou que seu grande sonho era ter netos homens que dessem continuidade a sua estirpe, de preferência adicionando a ela sangue real — o que só eu poderia fazer. Perguntou quando eu teria um filho. Respondi que não sabia, que não podia prever: nesse terreno, só o rei decidia.

— Vou lhe dar uma indireta — disse, com um sorriso que se pretendia cúmplice, mas que lhe saiu grotesco.

Abraçou-me e se foi. No dia seguinte lá estava eu, escrevendo o texto.

Rapidamente entramos numa rotina. Todos os dias eu recebia um briefing dos anciãos. Consultando montes de pergaminhos e discutindo muito entre eles, decidiam o que era importante para o livro. O velho safado — a essa altura com ar sempre compenetrado — fazia as vezes de relator. Cabia-lhe também formular as restrições ao meu trabalho, restrições essas que iam diminuindo à medida que eu pegava o jeito da coisa. A orientação era não inventar. Penetrando no texto, eu deveria deixar de fora toda visão pessoal, todo viés contestador. Seria neutra, impessoal. Nada de comentários colaterais. Isso ficaria, diziam os anciãos, para os sábios de gerações futuras. E eu obedecia. Claro, continuava estranhando certas passagens. Por que José não comera a mulher de Putifar, deixando assim todos contentes, inclusive o próprio Putifar? Uma dúvida que guardava para mim. Os velhos ficariam ofendidos se eu fizesse a pergunta. De todo modo, não queria mais bater boca; simplesmente perdera a tesão para a coisa. Nos momentos de maior depressão, pensava em me mandar dali, em fugir do harém, em ir para qualquer lugar onde não precisasse escrever, ou pensar, ou debater. Mas então vinha-me à mente a figura de Salomão, e meu amor por ele exercia sobre mim um efeito poderoso. Eu como que recobrava a energia e voltava ao trabalho, por chato que fosse. Mal sabia eu que o destino ainda me reservava uma dura provação.

Aconteceu uma noite. Depois que entrara na rotina do trabalho, o meu sono, antes agitado, tornara-se bruto, pesado, sono sem sonhos. Nada de vacas magras ou vacas gordas; comigo, José perderia o seu tempo. Mas naquela noite foi diferente. A certa altura despertei, sobressaltada, ouvindo risinhos, cochichos, suspiros de gozo — o que era aquilo? Estaria ficando maluca?

Não, não estava. Os ruídos vinham dos aposentos ao lado. Um dos dormitórios de Salomão — ele tinha vários, espalhados pelo palácio; dizia-se também que às vezes ia de dormitório em dormitório, atendendo as mulheres que ali estavam, o que me cheirava a propaganda de sua potência sexual; mais provável era que se tratasse de uma questão de segurança. Mas, enfim: ali estava o rei — identifiquei logo sua voz, sua característica gargalhada — recebendo uma mulher do harém. Evidentemente, estavam se divertindo muito. Pelo que eu podia ouvir, era um vale-tudo: agora chupa, agora deita de bruços.

Que trepasse, tudo bem, estava no seu direito. Que percorresse, do começo ao fim, o catálogo das abominações: o.k., o.k. Mas, por que naquele aposento? Será que não sabia que eu estava do outro lado da parede, sentada no leito, olhos muito abertos, punhos cerrados, ouvindo, ouvindo, ouvindo?

Sabia, sim. Ele sabia tudo. Não era ele o homem mais sábio do mundo, o homem que até falava com os pássaros? Sabia, claro que sabia. E se sabia, das duas uma: ou não dava bola para minha presença, ou dava bola para minha presença.

Se não dava bola para minha presença, eu precisava renunciar de uma vez às minhas ilusões: deixa de lado todas as tuas esperanças, ó tu, que és feia e só sabes redigir, enfia a viola no saco, vai cantar em outra freguesia, esquece para sempre o Salomão com quem sonhaste e que te acordou no meio da noite sinalizando, com seus gemidos de gozo, a inutilidade de teu sofrimento amoroso.

Conclusão cruel; ao menos, porém, confrontava-me inexoravelmente com a realidade. Eu teria de decidir se continuava com aquela comédia ou não. De nada me adiantaria fingir que era esposa do rei. Ou eu aceitava aquela coisa de escrever o livro, sem outras expectativas, ou ia embora de vez, de preferência para um lugar distante: o deserto, por exemplo. Ali habitaria numa caverna, eu sozinha com minha dor e minha mágoa. E minha pedra.

Mas havia outra possibilidade: talvez ele lembrasse, sim, que eu estava no quarto ao lado. E se lembrava, por que produzia ruídos obscenos? Sadismo? Não era de seu estilo. Alarde de sua potência? Mas com que objetivo? Conquistar-me? A mim, que me oferecera a ele sem resultado?

Só havia uma resposta possível. Não era em sexo que Salomão pensava; era no livro. Sexo não lhe faltava. No seu caso, a oferta claramente excedia a demanda, tinha muito mais mulheres do que podia atender, mesmo recorrendo a seus lendários poderes mágicos. Provavelmente trepar era, para ele, um sacrifício, uma exigência do cargo. O livro, não. O livro satisfaria sua necessidade de reconhecimento, de afirmação. O livro, como ele mesmo dissera, o consagraria. Agora: o livro era eu. Isso a cada dia ficava mais evidente. Mas também ficava evidente, e ele era esperto demais para não percebê-lo, que minha paciência para aquela obra não era ilimitada. De modo que acenava com promessas, formuladas de maneira indireta. Sonorizadas, por assim dizer: escreve direitinho o teu texto que ganharás um lugar no meu leito — todo o gozo que estes gemidos, suspiros e risinhos fazem supor, está guardado para ti. É uma aplicação que estás fazendo no banco do prazer. Um dia poderás sacar tudo com os rendimentos a que tens direito. E aí verás do que Salomão é capaz. Feia ou não, viverás noites orgiásticas.

O fato é que aquela sonoplastia despertava o meu desejo. Que tesão (e que saudade da pedra. Pelo menos nunca me humilhara, nunca me deixara na mão)! De toda forma, eu tinha de reconhecer que, se se tratava de astúcias, aquele rei — capaz até de falar com os pássaros — fora muito bem-sucedido. Eu caíra em sua armadilha. De certo modo, tornara-me escrava do seu empreendimento. Como os hebreus no Egito, empenhados na construção das pirâmides, a cada dia eu colocava minhas pedras no seu monumento literário. No caso, estava submetida a um faraó benigno, que me tratava gentilmente. Mas era servidão, de toda forma, e dessa servidão Moisés algum me libertaria; as águas do mar (e do mar estávamos longe, em Jerusalém) não se abririam para que eu rumasse à Terra Prometida. A menos que o pastorzinho, pobre pastorzinho, viesse com seus guerrilheiros me libertar. Pouco provável. Seria, aliás, uma tentativa inútil: os soldados de Salomão acabariam com ele num abrir e fechar de olhos.

Acabei me acostumando às orgias do quarto ao lado, acabei me acostumando à rotina do trabalho. Não havia outra coisa a fazer, mesmo. Do palácio eu não saía; o máximo que me permitia era visitar, de vez em quando, o harém. As mulheres agora me olhavam de maneira diferente, com admiração e até com certa reverência. Eu continuava sendo a feia, mas uma feia de respeito, a feia a quem Salomão confiara uma tarefa importante. De outra parte, eu também mudara em relação a elas. O desprezo que sentira pelo mulherio, depois do fracasso do movimento de protesto que tentara organizar, agora dava lugar a uma resignada tolerância, à compreensão, e até à simpatia. Como eu, elas tinham vindo de lugares distantes; como eu, estavam ali principalmente para legitimar alianças; como eu, sonhavam com o leito do rei — e, como eu, muitas o amavam. Diferentemente de mim, eram, em sua maioria, belas mulheres; mas, diferentemente de mim, não sabiam ler nem escrever, não tinham nada a fazer na vida a não ser aguardar o chamado do rei. Ao fim e ao cabo, porém, éramos todas mulheres, e uma pergunta eu me fazia ao vê-las no harém ou no pátio, conversando ou brincando ou cantando: não teria eu ali uma amiga, alguém que pudesse desempenhar, em minha vida, o papel que minhas irmãs haviam tentado em vão assumir, sendo por mim ferozmente repelidas?

* * *

No momento em que tais dúvidas me ocorriam o relato sofria, coincidentemente, uma inflexão, uma mudança até para mim inesperada. Já havíamos deixado para trás Moisés, as pragas do Egito, a travessia do mar Vermelho, a longa jornada pelo Sinai; Josué já derrubara as muralhas de Jericó; Canaã fora conquistada depois de ferozes batalhas... Ou seja, more of the same: muita luta, muito sangue derramado.

Mas de repente surgiram Ruth e Naomi. Foi um verdadeiro choque, algo que teve o mágico poder de retirar-me da habitual apatia, de novamente mobilizar-me a emoção. A história da amizade entre aquelas duas mulheres, sogra e nora, judia e moabita, velha e moça, comoveu-me até as lágrimas. Passei horas pensando nelas, no juramento de fidelidade que trocaram. E então me sentei e trabalhei, e coloquei meu coração naquele trabalho. Fiz três versões, até chegar à conclusão de que o texto não mais poderia ser melhorado. Quando finalmente li o trabalho para os anciãos cheguei até a soluçar. Normalmente eles teriam reagido com irritação — é nisso que dá, botar uma mulher a redigir um texto sagrado, mulheres não têm objetividade, não sabem se conter —, mas dessa vez guardaram um silêncio respeitoso e, eu diria, solidário. Sabiam que minha emoção nascia de uma profunda identificação com as duas mulheres.

Nos dias que se seguiram pensei muito na história de Ruth e Naomi. Tratava-se de uma mensagem que eu escrevera, não para Salomão, como no caso de Adão e Eva, mas para mim própria. De repente, ocorria-me que não precisava continuar sozinha; sim, meu real marido me ignorava, a família estava longe (e ainda que estivesse perto, de nada adiantaria), mas eu poderia buscar amparo em uma amiga. Uma palavra que para mim soava nova; na aldeia, por exemplo, eu nunca chegara a fazer amizade com ninguém: eu era a feia, a marginal. Uma situação que se repetira no harém; mas algo me dizia que, entre todas aquelas mulheres, alguma devia existir que me compreendesse, que fosse para mim uma alma irmã. A companheira que eu precisava encontrar.

* * *

E encontrei. Foi numa noite, numa abafada noite daquele quente verão. Eu tentara por várias horas trabalhar no manuscrito. Sem resultado; após a história de Ruth e Naomi, a narrativa agora me parecia sem interesse, desprovida de todo sentimento. Exausta, deixei o pergaminho de lado e fui deitar-me. Mas também não conseguia adormecer, de modo que resolvi sair e espairecer um pouco. Caminhei pelos corredores do palácio, sem destino, os guardas me observando com curiosidade e desconfiança. Por fim, cheguei ao jardim do harém.

Uma grande lua iluminava o lugar que, àquela hora — quase meia-noite — estava deserto. Mas havia uma mulher, lá sentada. Eu só a conhecia de vista; sabia que era concubina, não esposa. Ao me ver, sorriu.

— Vejo que não podes dormir. — Fez uma pausa, e acrescentou: — Como eu. Há muitos anos, o sono me abandonou. Então venho para cá, pensar um pouco na vida, lembrar o passado.

— E vale a pena? — perguntei.

Ela sorriu de novo.

— Não sei. Mas, na falta de coisa melhor... Vem, senta-te aqui.

Sentei-me, começamos a conversar. Sobre coisas banais, primeiro, sobre coisas mais sérias depois — falávamos, falávamos. Era como se fôssemos amigas desde sempre.

Chamava-se Mikol, ela. Ainda bonita, sensual, já não era contudo jovem; na verdade, fora das primeiras concubinas adquiridas por Salomão, numa época em que o mercado de mulheres estava saturado.

— Comprou-me barato, o rei. Eu já era concubina; meu primeiro senhor era um bruto, batia-me todas as noites. Quando, porém, ele anunciou que eu iria para o palácio real, que me havia vendido para Salomão, fiquei com medo. Não estaria trocando um tirano por outro pior? Mas quando vi o nosso rei, o nosso homem, apaixonei-me de imediato. Como tu. E, devo te dizer, foi uma paixão correspondida. Ele era muito mais jovem, então, mais fogoso, mas também mais inexperiente. Um homem triste.

Sábio, mas triste — a sabedoria não torna ninguém alegre. Além disso, os problemas com o pai haviam deixado nele uma marca muito funda. Porque era um garanhão, o rei Davi. O filho sabia disso e fazia-lhe mal, saber disso. Não trepava direito, o pobre rapaz. Um dia me confessou: comprara uma concubina exatamente por isso, porque não sabia fazer amor. Pediu-me que o iniciasse no sexo, coisa que não podia esperar das esposas, tão inexperientes quanto ele. Uma missão que aceitei com o maior prazer. Logo vi que teria de ir muito devagar, conduzindo-o passo a passo. O que não era fácil, por causa de sua ansiedade, de seu medo de fracassar. Às vezes estávamos na cama, ele sobre mim, e ele de repente dizia: não posso, não posso. Então eu o acalmava, excitava-o de novo, e aí era aquele vulcão.

Calou-se, ficou um instante de olhar perdido, a relembrar aqueles momentos.

— Foram semanas de paixão — continuou. — Depois, outras concubinas foram adquiridas. E as esposas continuavam a chegar, em grande quantidade. Ou seja: Salomão não tinha mãos a medir...

Riu.

— Mãos, e aquela outra coisa. Fiquei em segundo plano, compreendes? Mas não me importei, sabia que um dia aconteceria. Fiquei como uma espécie de consultora para assuntos sexuais. Ele me chamava: escuta, Mikol, essa esposa que veio do Norte é frígida, o que faço? Eu então lhe ensinava como proceder. Mikol, a morena é muito ciumenta, como resolvo isso? Eu dava sugestões. Quando o número de mulheres cresceu, de novo solicitou meu parecer. Como se organizar para atender a todas? A primeira coisa que lhe ocorreu foi convidar para a cama a mulher que estivesse de aniversário naquele dia; ponderei-lhe que muitas mulheres poderiam fazer anos na mesma data, o que complicaria as coisas. Usa teus próprios critérios, sugeri, e não deixa ninguém saber deles, o amor precisa de mistério. Ele ficou admirado: disse que eu era sábia, mais sábia do que ele. E também não me esquecia como mulher. Quando queria uma grande trepada, era a mim que chamava.

— E ele, como era na cama? — Curioso, que eu lhe tivesse feito essa pergunta. Se qualquer outra me falasse de seus amores com Salomão eu morreria de ciúmes, de inveja. Mas com Mikol, senti — imediatamente — que poderia conversar sobre aquele tema, para mim tão difícil. Amizade, aquilo? Sim, era uma amizade que nascia, constatei, encantada. Não sei se ela sentia o mesmo. Mas foi com naturalidade que respondeu:

— Bom. Não era fora de série, mas era bom. Com meu treinamento, modéstia à parte, melhorou muito. De zero a dez, eu lhe daria um sete. Ou oito, até, dependendo do dia. Tinha vezes que estava muito inspirado, outras vezes não conseguia se concentrar. Para um rei atarefado, com a cabeça cheia de problemas, não estava de todo mal. O que lhe faltava em desempenho, compensava com gentileza. Depois, dava gosto conversar com ele. Grande cabeça. Falava com os pássaros... Grande cabeça. Conhecia cada posição na cama que só vendo. Aprendeu com uns reis do Oriente.

Talvez para não ferir meus sentimentos — mas essa precaução era desnecessária —, Mikol deixava bem claro que tudo o que estava me contando era coisa do passado: na história amorosa de Salomão, ela era página virada.

— Fui importante, agora não sou mais. Mas tudo bem, basta-me a recordação. Mesmo porque houve outro depois dele.

Outro? Como? De que jeito poderia ela ter tido contato com outro homem? Piscou o olho:

— Eu moro no harém, querida, não estou presa aqui. Claro, não é fácil sair, mas sempre se dá um jeito. E há muito homem bonito aí fora. Não faz muito, conheci um rapaz que era fantástico na cama. Meio gigolô, mas-

Interrompeu-se, ficou um instante em silêncio, olhar perdido. Suspirou:

— Minhas aventuras não interessam. Vamos falar sobre ti, que é mais importante.

Quis saber de onde eu vinha, como havia sido minha vida, como era minha relação com Salomão. Contei sobre o fiasco do rei. Para minha surpresa, ela achou graça, disse que eu não devia me preocupar: cedo ou tarde minha vez chegaria. E, para minha surpresa, ficou realmente interessada no livro que eu estava preparando. Interessada, não. Maravilhada:

— Escrever uma história assim é a glória, minha amiga, a glória. Bem que eu gostaria de figurar nela. Ao lado de Salomão, por exemplo. Mas tem tanta gente. Setecentas esposas, trezentas concubinas... Impossível. Para mim não há lugar. A não ser nas reticências...

Ela não sabia ler nem escrever, mas conhecia todos os sinais gráficos, o ponto, a vírgula — que sempre a deixava pensativa —, a interrogação e a exclamação, que lhe provocavam barrigadas de riso. E o travessão: também conhecia o travessão. Contudo, gostava mesmo era das reticências; sabia que aquilo era para fazer a pessoa, com o olhar perdido, pensar sobre a vida, sobre o mundo...

— Sim, nas reticências talvez haja lugar para mim... A pessoa que vir aqueles três pontinhos dirá, hum, mas então a história de Salomão não é só o que está descrito em palavras... Há mais coisas. E ao se perguntar que coisas serão essas talvez lhe ocorra, na lista das possibilidades, uma foda com certa concubina... Grande foda...

Prometi-lhe que, no relato sobre Salomão, poria reticências. Na verdade, era pouco provável que tivesse chance para isso. Assim como ela adorava sinais gráficos, os anciãos os detestavam; para que interrogação ou exclamação, se Deus não pergunta nem se admira? Para que reticências, se Deus não é reticente?

Foi a única vez que menti a Mikol. Nos poucos meses em que convivemos — e nos encontrávamos no jardim quase todas as noites —, a franqueza marcou nosso relacionamento. A franqueza e a afeição. Eu a amava. Mikol era tudo para mim: a mãe que não se omitia, o pai que não era grosseiro, a irmã que não mentia, o marido que não me rejeitava. Junto a ela eu me sentia feliz. Não completamente feliz. Por causa de Salomão, claro. Ela tentava me consolar. Ele vai te chamar, dizia, é questão de tempo. Quanto tempo, eu queria saber: muito tempo, pouco tempo? Semanas, dias, anos? Um dia em que eu, impaciente, lhe cobrava uma resposta, ela, melancólica — mas acho que era um desabafo, o único que se permitiu durante a nossa convivência —, respondeu:

— Tu tens tempo. Eu é que não tenho.

Não entendi. Por que não teria tempo, ela? Não era uma mulher jovem, mas estava longe de ser uma anciã. Por que não teria tempo?

Em resposta, pegou-me a mão e colocou-a sobre o ventre. Havia algo naquela barriga, algo volumoso e duro, duro como pedra. Uma gravidez, foi o que me ocorreu, e de imediato fui tomada de um acesso de ciúmes, tão violento quanto absurdo. Apesar do que tinha me dito, que já não mantinha relações sexuais, achei que esperava um filho — de Salomão. Desse bebê — um filho do rei — teria de cuidar, não de mim.

Sem dificuldade, ela adivinhou o que eu estava pensando. E sorriu, triste:

— Não, não estou grávida. Na minha idade seria difícil, não é? E depois... Não posso pôr um filho no mundo, não sou digna disso. Não, não é gravidez. É um tumor que tenho aí dentro, um tumor que cresce sem parar. Isso quer dizer que estou muito doente. Que vou morrer em breve.

Eu não podia acreditar no que ela me dizia, sobretudo por causa de sua resignada tranquilidade. Tinha um tumor? E ia morrer? Mas por quê? Por que aceitava aquele destino injusto, monstruoso? De súbito invadia-me uma enorme culpa. Eu ali, queixando-me de minha feiura, como se fosse a maior tragédia do universo, e a pobre Mikol morrendo. Eu, egoísta, nem sequer atentara para a gravidade de seu estado. Agora me dava conta de como ela tinha emagrecido e decaído nas últimas semanas. Estava pálida, enfraquecida. Eu achava que estava fazendo uma dieta — tinha dessas manias, havia época em que só comia laranja ou romã. Mas não era dieta coisa nenhuma, eu estava me enganando, era doença mesmo, doença grave, mortal.

— Mas temos de fazer alguma coisa — eu disse, a custo contendo as lágrimas. — Vou falar com o médico do palácio, é um bom médico, ele-

— O médico do palácio disse que é um caso perdido — interrompeu-me ela, docemente.

Não aguentei mais: rompi em prantos. Chorava por ela, chorava por mim. Tinha encontrado uma amiga, alguém em que podia confiar — e essa amiga agora ia me deixar. Quero morrer, eu dizia, quero morrer contigo, porque aonde tu fores eu irei, e se desapareceres da terra eu desaparecerei também. Com um sorriso (ao qual não faltava, porém, um componente de melancólico ceticismo — minha gritaria sem dúvida parecia-lhe um tanto exagerada), ela tentava consolar-me: nunca te abandonarei, em espírito sempre estarei contigo, essas coisas que os moribundos caridosos dizem a um filho, a um amigo.

A doença progrediu rápido. Em poucos dias ela era pele e osso. O tumor cresceu espantosamente; e Mikol estava tão fraca que já não levantava do leito. Sentada a seu lado eu mirava horrorizada o corpo devastado, reduzido a um anexo da massa sinistra, agora facilmente visível, obscenamente visível. Através da camisola entreaberta apareciam os seios que, poucas semanas antes, eu ainda admirara: tão belos eram. Aqueles seios — o que fora feito deles? Um deles, o esquerdo, ou o direito, já não lembro, ainda se mantinha um tanto ereto, como resistindo teimosamente; mas o outro, o direito ou o esquerdo, apresentava-se murcho, deprimido, exaurido: aquele seio já desistira de lutar, aquele seio começava a percorrer o Vale das Sombras da Morte, abanando à direita e à esquerda, alô, Sombras da Morte, estou chegando, o que é que se vai fazer, hein, Sombras da Morte, bem que eu queria ter evitado esta jornada, ou pelo menos ter ficado para trás como o meu companheiro seio, mas que posso fazer, Sombras da Morte, sempre fui apressado, sempre quis resolver logo as coisas, quando Salomão nos chupava eu era sempre o primeiro a crescer e a ficar com o bico durinho e agora estou aí, uma passa seca, pior que uma passa seca, porque uma passa seca é doce e nutritiva e eu nem isso sou, sou apenas uma lembrança, amarga lembrança. Isso era o que me dizia, o seio, o direito ou o esquerdo.

Isso era o que me dizia seu corpo arruinado. Por causa do cheiro pútrido que exalava, tiraram-na do pavilhão das concubinas e colocaram-na num cubículo isolado, aonde eu ia visitá-la todos os dias. Aquilo me custava brigas frequentes com os anciãos. Eles reclamavam que a tarefa estava atrasada, exigiam mais e mais trabalho. Eu não tinha vontade nenhuma de escrever, mas a própria Mikol me exortava a que o fizesse, e então eu sentava à mesa e trabalhava, trabalhava. A narrativa agora se aproximava de nossa época: tínhamos chegado ao livro de Samuel. Saul acabava de ser aclamado rei, e a realeza deveria alcançar sua culminância em Salomão. Mas pouco interessada estava eu naquela história de lutas e intrigas. Só pensava em Mikol, em Mikol morrendo no seu cubículo. Muitas vezes entregava o pergaminho com a tinta borrada por minhas lágrimas.

Uma noite, um dos anciãos veio falar comigo; quis saber o que estava se passando. Eu continuava não gostando daqueles velhos, e normalmente teria respondido com uma grosseria, não é da tua conta, faz o teu trabalho que faço o meu. Mas por alguma razão resolvi contar-lhe o que estava acontecendo: uma amiga estava morrendo e eu não podia cuidar dela, tinha de escrever uma narrativa que, para mim, nada representava, era somente o testemunho da vaidade do rei. Ele não gostou: não fales assim, disse, essa história é importante, é a história de um povo que segue o desígnio divino. O que me deixou ainda mais revoltada.

— Desígnio divino? Que merda de desígnio divino é esse, que deixa morrer uma pobre mulher que nunca fez mal a ninguém? Esse Deus de vocês só quer sacrifícios, mais nada. Resolver, que é bom, ele não resolve nada. Olha só o que aconteceu com o coitado do Jó. Por causa de uma aposta com o demônio, ele cobriu o homem de feridas. Desígnio divino! Eu te mostro o que é desígnio divino!

Poderia ter ficado possesso comigo, o ancião. Poderia ter gritado abominação, abominação, ou coisa parecida. Poderia ter me denunciado a Salomão. Mas não o fez. Por quê? Por que se apiedou de meu sofrimento? Ou por que precisava de mim? Não sei. Só sei que ele optou por me consolar. Disse que na verdade Mikol estava sofrendo o castigo divino; todos sabiam que ela era uma transgressora; traíra Salomão com vários homens, cortesãos, guardas do palácio, e até com um pastorzinho meio rengo que uma época rondara o palácio tocando sua flautinha. Salomão a perdoara — mas não pudera poupá-la da ira divina.

A revelação me deixou abalada. Sim, eu sabia que Mikol tivera seus casos. Mas, o pastorzinho? Era por isso que ele rondava o palácio? De todo modo, ela não fizera nada de mal. Se Salomão podia ter mil mulheres, por que não podia Mikol ter uns poucos casos? Fosse como fosse, a explicação me fez calar. Eu disse ao ancião que voltaria ao trabalho e foi o que fiz, voltei ao trabalho. Fiquei até de madrugada escrevendo, escrevendo sem parar.

Na manhã seguinte encontrei Mikol muito pior. A encarregada do harém, que estava ali, sacudiu a cabeça. Era questão de dias, de horas, talvez. Mikol pediu-lhe que saísse, queria falar comigo a sós. A mulher saiu, inclinei-me sobre o leito.

— Tenho um pedido a te fazer — disse, numa voz quase inaudível. — Meu último pedido.

Queria ver Salomão, antes de morrer. Queria fazer amor com ele, pela derradeira vez; então, e só então, descansaria em paz. Agarrou minha mão entre suas fracas, secas garrinhas.

— Por favor, ajuda-me. Se pedires, ele te atenderá. Ele não precisa mais de mim, mas precisa muito de ti.

O que podia eu fazer? Havia muito nem sequer o encontrava, não sabia se me receberia. Mas por Mikol eu faria qualquer coisa.

Saí dali e procurei o cortesão encarregado das audiências.

— Preciso falar com o rei. É urgente.

Ele me olhou, desconfiado — não gostava de mim, aquele homem — consultou o pergaminho com a agenda real.

— Não dá. Hoje e amanhã ele tem o dia cheio. Várias delegações do estrangeiro... Não dá.

Insisti: eu tinha chegado a um impasse no livro, não conseguia progredir, a obra estava parada, o próprio Salomão me ordenara que entrasse em contato com ele no momento em que surgisse alguma dificuldade. O assessor suspirou, consultou de novo a agenda.

— Vou ver se te levo lá agora. Mas tens quinze minutos, hein? Quinze minutos. Trata de te apressar.

Entramos na sala do trono e lá estava Salomão, sentado em seu trono, recebendo uns dignitários estrangeiros. Sem maiores cerimônias, sem pedir licença, galguei os degraus, os leões sacudindo desaprovadoramente as cabeças esculpidas em madeira, sussurrei-lhe ao ouvido:

— Tens de ver a Mikol, Salomão. A coitada está morrendo. É o seu último desejo.

Ele franziu o cenho.

— Mikol? Sei quem é, mas não estou lembrando direito...

Antes que pedisse ao escriba para trazer a ficha, coisa que tomaria ainda mais tempo, expliquei-lhe rapidamente que ela era uma das primeiras concubinas do seu harém, aquela que-

Ah, sim, agora recordava. Mas não era uma boa recordação: foi a mulher que me corneou, disse sombrio, aquela que me passou para trás com meio mundo.

— Ela está morrendo — insisti, dura, seca. — Não é momento para cobranças, Salomão.

Ele começou a dizer que naquele momento não podia, que ia mandar o seu médico vê-la.

— Não! — gritei, para espanto dos visitantes, que não estavam entendendo o que se passava. — Ela não quer o médico. Quer a ti.

Ele resistia ainda: não podia abandonar o salão do trono naquele momento, as pessoas que ali estavam eram muito importantes: um tratado seria firmado naquele mesmo dia, um tratado que envolvia a dívida externa do país, assunto delicado.

Aquilo me deixou indignada. A pobre Mikol agonizando e o cara a quem ela tinha dado sua vida preocupado com audiências e cerimônias. Possessa, fui taxativa.

— Nada disso. Tu vais lá.

— Amanhã — sussurrou. — Prometo que amanhã...

— Hoje. Se não fores hoje, te juro que largo essa merda de livro e vou embora. Nunca mais me verás.

Ele suspirou.

— Está bem. Hoje à noite.

— Não. Já.

— Não dá. À tarde, então. Na primeira hora da tarde.

Era quase meia-noite quando apareceu no quarto de Mikol. Ela nem o viu: já estava em coma. Morreu uma semana depois.

A morte de Mikol passou inteiramente despercebida na corte. Ao enterro, compareceram meia dúzia de mulheres, incluindo uma irmã dela e eu. Salomão não deu o ar de sua graça. Estava muito ocupado naqueles dias. Esperava uma visita importante. Visitas importantes não eram raras em sua agenda, mas aquela era excepcional, tanto que nos corredores do palácio não se falava em outra coisa; até mesmo os sisudos anciãos comentavam a respeito. Sabes quem vem aí?, perguntavam-me, os olhos brilhando.

Eu não sabia nem queria saber. Absorvida em minha dor, não conseguia pensar em nada. A ausência de Mikol era para mim insuportável e, pior, uma perda que eu não podia partilhar com ninguém. Entre as mulheres do harém ela não era muito conhecida; as anciãs do Retiro a lembravam, quando a lembravam, com inveja: era a queridinha do Salomão, mas não nos dava bola. Era tal a minha tristeza que pensei em voltar à aldeia, em buscar refúgio junto à família. Mas era provável que não me entendessem. Uma concubina morreu? E daí? Não sobravam duzentas e noventa e nove? Além disso, que tinha eu a ver com aquilo? Eu era esposa, pertencia a uma outra categoria. Se por acaso havia mantido qualquer tipo de relacionamento com a falecida, deveria esquecê-lo; pegaria mal, podia até despertar a suspeita de abominação.

A única pessoa que se interessara pela doença de Mikol era uma outra concubina, mas isso por razões bem práticas: queria a cama dela. A que eu tenho é muito ruim, explicava, está acabando com a minha coluna. Tão logo Mikol foi enterrada, ela tomou posse do novo leito com a satisfação de quem implanta sua bandeira em território conquistado.

Sem ninguém a quem falar do meu sofrimento, eu me dedicava ao trabalho. Mas não pude deixar de notar a inusitada movimentação que se registrava no palácio: gente limpando, consertando coisas, trazendo móveis, tapetes, luminárias. Deduzi que aquilo estava ligado à esperada visita, e perguntei à encarregada do harém quem estava para chegar. Olhou-me espantada, como se eu tivesse vindo de outro planeta:

— Mas então não sabes? Onde é que andas com a cabeça? É a rainha de Sabá, menina! Ela vem nos visitar!

— E quem é a rainha de Sabá? — perguntei, em verdade pouco interessada: reis e rainhas apareciam por ali todos os dias, eu não conseguia mais memorizar os nomes dos estranhos países de onde vinham. De novo me olhou, abismada com meu grau de ignorância. Mas então eu, uma mulher culta, escolhida por Salomão para escrever um livro importante, não sabia quem era a rainha de Sabá? Não, não sabia; será que ela podia me explicar? Claro que sim, disse, grata pela oportunidade que talvez lhe rendesse uma notinha no futuro livro: "Detalhes sobre a vinda da rainha de Sabá foram anunciados previamente pela encarregada do harém, a bem informada senhora...".

Tratava-se da soberana de um lendário país cuja localização ninguém sabia ao certo: ficava na Arábia, segundo uns, na África, segundo outros. Era famosa, essa mulher, pela beleza e pela audácia e pela riqueza. De havia muito desejava conhecer Salomão, cuja fama de sábio chegara até ela. Seu tour tinha esse objetivo exclusivo: vinha ver o rei, uma visita que provavelmente se prolongaria bastante. Não era de admirar que as mulheres do harém se mostrassem francamente descontentes com a notícia. Já era feroz a disputa pelo leito de Salomão; a chegada de uma rainha estrangeira só complicaria as coisas. Aparentemente, vinha em busca de sábios conselhos, a exemplo de outros governantes; mas será que esse propósito declarado não mascarava ocultas intenções, uma aliança político-sexual? Fosse como fosse, o rei teria de dar atenção à hóspede e isso, no mínimo, faria com que se ocupasse ainda menos das mulheres do harém, acirrando entre elas uma concorrência que chegava aos limites do intolerável.

Quanto a mim, não partilhava dessas preocupações. De luto pela morte de Mikol, recusava-me a tomar conhecimento das fofocas palacianas. Além disso, e sempre pressionada pelos anciãos, tinha de me dedicar ao texto. Naquele momento estávamos trabalhando com um personagem atormentado, difícil: Saul, o primeiro rei de Israel. Ali estava ele, às voltas com o clássico binômio poder e guerra — guerra cruel, que, no caso dos amalecitas, por exemplo, resultara no massacre de homens, mulheres e crianças. Crueldades não tinham sido raras até então — os pergaminhos que se empilhavam sobre minha mesa estavam cheios delas; o novo, em nossa história, era um governante que sofria de depressão. Alegrava-me que fosse deprimido, que fizesse parte do torturado grupo das feias, das cancerosas, dos aleijados. A meus olhos, isso o tornava mais humano. Era algo que eu agora almejava: tornar-me mais gente, transformar o ressentimento que nascera de minha fealdade e a dor decorrente da perda de Mikol em tranquila resignação, em sabedoria. Sabedoria — mas não como a de Salomão, que me parecia mais esperteza do que qualquer outra coisa. O que eu buscava era a genuína, autêntica sabedoria que só pode nascer do sofrimento compreendido, elaborado. Comovia-me ainda o fato de que Saul buscasse consolo na música. Também eu, nos momentos de maior tristeza, entoava as canções que em criança ouvira de minha mãe e das mulheres da aldeia. Saul, achava eu quando comecei a escrever sobre ele, estava a caminho da santidade.

Mas à santidade não chegaria. E não chegaria lá por causa de seu trágico, doentio relacionamento com Davi. Esses homens, eu pensava, poderiam ter aprendido algo com Ruth e Naomi. Mas talvez amizade fosse coisa simples demais para gente tão complicada. Saul amava e odiava Davi a um tempo; tentou matá-lo, mas deu-lhe a filha em casamento. Que tivesse consultado a bruxa de Endor para, com sua ajuda, ouvir a voz do falecido mentor Samuel, era para mim a prova de seu desamparo emocional. A esse homem eu poderia, mais que ao autossuficiente Salomão, consolar e encantar com minhas histórias. Infelizmente, eu tinha chegado dois reis atrasada.

Com Davi, sucessor de Saul, estávamos, finalmente, em passado recente, um passado do qual os anciãos podiam até dar testemunho pessoal. Já não precisavam consultar pergaminhos; simplesmente deixavam fluir as suas próprias e reverentes lembranças. Tais lembranças falavam de um homem excepcionalmente bonito, músico, poeta, guerreiro, amante de mulheres. Falavam de sua memorável luta contra o gigante Golias, na batalha contra os filisteus. Falavam da Jerusalém que construíra, e para a qual trouxera a Arca da Aliança. Falavam de suas vitórias sobre os filisteus, edomitas, moabitas, amonitas, cananeus, vitórias essas que haviam resultado em considerável ampliação do reino.

Ao mesmo tempo, não podiam escamotear episódios menos gloriosos, como a trágica revolta do filho Absalão, que por sinal morrera lutando contra o pai; e a muito perturbadora história com Betsabá, que narraram constrangidos, sem se olharem, sem me olhar. E havia razões para tal. O modo pelo qual Davi se livrara de Urias, marido de Betsabá, por quem estava apaixonado, fora simplesmente repulsivo: enviara o oficial para um posto perigoso na frente de combate, onde, de acordo com o esperado, o homem viera a morrer. Deus, que tudo vê, havia castigado essa ignomínia: o primeiro filho do casal morrera. Mas o segundo sobrevivera e se tornara rei. O rei Salomão.

Com essa história tudo ficou subitamente claro a meus olhos. De repente eu compreendia Salomão, seu desejo por mulheres, especialmente belas mulheres. E identificava também uma fissura no sólido edifício de sua estabilidade emocional. Não se sentiria ele perseguido pela sombra do irmão, por essa sombra espreitado desde os desvãos do palácio, desde os reposteiros do Templo — desde a penumbra da alcova, a alcova na qual inexplicavelmente broxara? Sombras são ubíquas, ocultam-se em qualquer lugar, em qualquer coisa, numa planta, carnívora ou não, num mamífero, num pássaro: o corvo que, no jardim, crocitava, zombeteiro, ou o pombo que nunca voava e que a todos fitava com um olhinho preto e duro como um grão — tinham tudo para serem portadores da alma penada, aquele corvo, aquele pombo. Talvez por isso tivesse estudado a linguagem dos pássaros: para interrogar cada corvo, cada pombo, perguntando, o que queres de mim, mano, não tenho culpa de que a mão de Deus tenha te ferido, não tenho culpa de teres sido escolhido para expiar o pecado de nosso pai e nossa mãe. Mas, e aí estava o nó da questão, havia uma razão para que Salomão se sentisse culpado. O irmão morrera para que pudesse viver — e viver em esplendor, no meio do luxo e da riqueza, com setecentas mulheres e trezentas concubinas. Quando Salomão pedira a Deus que lhe desse sabedoria, não estava apenas querendo entender os homens. Estava querendo entender a si próprio. Mais do que isso, queria entender o passado — tarefa complexa, projeto gigantesco para o qual eu fora mobilizada: o livro não seria apenas o pretenso monumento cultural, seria um farol no tempo, uma resposta ao enigma. Salomão precisava encontrar um sentido na trajetória histórica da qual era parte integrante. Se pudesse evidenciar que nele culminava um longo processo iniciado com o primeiro homem e a primeira mulher, se pudesse mostrar que em sua pessoa se concentravam as misérias e as grandezas do passado, a virtude e o pecado, o acerto e o erro, se conseguisse provar-se um feixe de contradições — mas também um ser humano lutando para tornar-se justo, para julgar bem os outros e a si mesmo, para entregar um disputado bebê à verdadeira mãe —, talvez então a alma do irmão o deixasse em paz e partisse em busca de seu merecido repouso no Vale das Sombras da Morte. Esse era, pois, o verdadeiro objetivo do texto em que eu trabalhava: a História como exorcismo. Mal sabia Salomão que eu tentava infiltrar-me na narrativa, que eu queria substituir, nas entrelinhas, o espectro do insatisfeito irmão pelo espectro do meu insatisfeito sexo. Muita coisa naquelas entrelinhas, hein? Muita coisa.

Assombrações são contagiosas. Tendo escrito sobre o irmão morto, passei a sentir, ali no palácio, a presença daquela alma —

atormentada como a minha própria. Espiava-me, como espiava Salomão: de trás de uma pilha de pergaminhos, de sob a mesa onde eu trabalhava. Só que não me causava medo, essa invisível presença. Ao contrário, fascinava-me: tínhamos muito em comum. Também eu vagava pela vida em busca de meu lugar. Eu também me sentia escorraçada, marginalizada. Aquela alma gentil, que tão cedo da vida se partira, aquela alma, eu a queria. Se pudesse atraí-la, se pudesse sugá-la para dentro de mim, se pudesse incorporá-la, enfim... Duplo ganho, nisso. Primeiro, o prazer de trair Salomão; não se trataria de prazer carnal, real, o prazer que Mikol desfrutara, inclusive e principalmente com o pastorzinho (onde andaria?), mas um prazer virtual, talvez até mais requintado. Além disso, eu adquiriria especial poder sobre Salomão. Ele veria em mim não a esposa número setecentos e um, não a feia escriba, mas — literalmente — a alma-irmã. No começo se aproximaria receoso, temendo a atração fatal; mas eu, com a autoridade de que agora estaria investida, na condição de portadora da alma do irmão morto, eu o absolveria, e, como prova disso, consentiria que fizesse amor comigo.

Incorporar a alma penada não seria empreendimento fácil. Para isso teria, primeiro, de estabelecer contato com o além-túmulo (talvez Mikol, ali recém-chegada, me ajudasse: alô, alô, Mikol, me acha aí o falecido irmão de Salomão, quero lhe oferecer o meu corpo como abrigo aqui na Terra; diz a ele que não é uma proposta de jogar fora, tu podes testemunhar que sou feia de cara, mas boa de corpo, ele não estará em absoluto mal servido); depois, precisaria atrair o elusivo espírito, aprisioná-lo dentro de mim. Como fazê-lo? Correndo nua pelos corredores, na esperança de captar, pela boca, pelas narinas, pela vagina, o errante ectoplasma? Complicado, para dizer o mínimo. Como esposa, eu tinha certos direitos, mas não o de andar pelada. Ah, se ao menos eu pudesse ter a ajuda da bruxa de Endor. Mas a bruxa morrera havia muito tempo e, que se soubesse, não deixara nem sucessores, nem manuais explicativos, nada. O detentor de toda a sabedoria, a oculta inclusive, era agora justamente Salomão, que nessa empreitada não me ajudaria. De modo que eu decidi adiar o projeto de captura do espectro. Mesmo porque o rei não parecia, no momento, muito preocupado com a lembrança do irmão morto. O palácio todo vivia um clima de festa. A rainha de Sabá estava chegando; Jerusalém, toda engalanada, preparava-se para recebê-la. No aposento de Salomão, ao lado do meu, havia uma cama nova com luxuoso dossel de seda, o que, ominosamente, antecipava muita sacanagem.

Uma manhã eu estava trabalhando quando de repente soaram as trombetas, dezenas delas. Corri à janela. Uma caravana chegava ao palácio. E que caravana era aquela! Mais de duzentos camelos, ricamente ajaezados. O primeiro deles, um animal gigantesco, conduzia uma tenda, semelhante àquela em que eu viajara, mas muito maior, muito mais enfeitada — a tenda da rainha de Sabá. Salomão e a corte já estavam ali, à espera. O camelo se ajoelhou, as cortinas da tenda se descerraram, e a soberana apareceu.

Que mulher linda, santo Deus. Que mulher linda. Uma negra alta, esbelta, com um rosto de belíssimos traços, grandes olhos, boca cheia, sensual — lindíssima. Perto dela as setecentas esposas e as trezentas concubinas não passavam de tristes espécimes (de mim, nem falar). Os olhares invejosos que eu surpreendia davam testemunho desse constrangedor contraste. Procuravam algo, esses olhares penetrantes, algum defeito naquele rosto e naquele corpo; mas nada achavam, porque estávamos diante da perfeição absoluta. A cor, naturalmente, chamava a atenção; todas nós tínhamos a tez morena, mas nenhuma era negra. E daí? Com soberba, poderia a rainha dizer, sch'hora ani ve nava, banot Ierushalaim, sou negra e também formosa, ó filhas de Jerusalém. E as filhas de Jerusalém, bem como as filhas de qualquer outro lugar, teriam de se fechar em copas.

O rei se adiantou, radiante. Fez um pequeno discurso dizendo que aquele era um dia histórico, a visita da rainha somando-se às bênçãos que Deus tinha derramado sobre seu reino:

— Nossa fama se espalha pelo mundo conhecido. Nosso Templo atrai visitantes de todos os lugares. E breve...

Pausa dramática.

— Breve tudo isto será coroado por uma obra da maior importância, uma obra não material, mas intelectual, que marcará para sempre a História da humanidade. E fico feliz pelo fato de que o lançamento dessa obra coincida com a visita da rainha de Sabá, que veio de tão longe para nos homenagear.

A revelação criou um certo suspense: de que estava falando, o rei? Que obra intelectual seria aquela? Estavam todos intrigados, e eu mais que todos. Estaria o rei falando do livro no qual eu trabalhava? Pretenderia ele homenagear, com o fruto do meu esforço (e do esforço de outros), uma desconhecida, por mais importante que fosse? Ou seria aquilo uma simples manobra publicitária, destinada a chamar a atenção para o lançamento da obra? Fosse como fosse, o certo é que eu não havia sido consultada, e aquilo me deixava puta da cara. Resolvi que, na primeira oportunidade, chamaria o rei às falas, perguntando que história era aquela.

Terminada a cerimônia, Salomão convidou a rainha a entrar e a repousar nos aposentos que lhe haviam sido preparados. Seguiram os dois pelos corredores do palácio, ela maravilhando a todos os que ali se acotovelavam para vê-la com seu porte altivo, sua graça, sua beleza. Não aguentei mais e fui para a minha sala. Onde os manuscritos me esperavam. O que queria eu, a feia? Para mim não havia glórias nem sorrisos. Para mim só o trabalho. O trabalho que, pelo jeito, seria usado por Salomão para aumentar o seu prestígio internacional.

Naquela mesma noite realizou-se o banquete, um banquete que ficaria nos anais da realeza; iguarias sem fim, preparadas por cozinheiros vindos de regiões longínquas, mil variedades de vinho, frutas exóticas... Um desbunde, enfim, que eu olhava da porta, porque, das esposas, só as cem mais velhas haviam sido convidadas — a explicação era de que não havia lugar para todas. Mentira. A razão era outra: as mais velhas, por serem mais velhas, eram menos ciumentas.

A rainha estava preparada para retribuir a gentileza; a um sinal seu entraram no salão cerca de cinquenta escravos vergados sob o peso das oferendas.

E que oferendas eram aquelas. Deus, que oferendas. Perfumes raros, valiosos. Pedras preciosas. Ouro — quatro mil quilos de ouro, como depois se soube. Com o que o problema da dívida externa praticamente deixava de existir. Salomão teria grana suficiente para dar os últimos retoques no Templo, para equipar melhor o exército, para comprar concubinas. O ouro estava em alta, no mercado internacional, e com aquela quantidade em suas burras, Salomão já não teria de buscá-lo nas minas da misteriosa Ofir, situada ninguém sabia onde: na África, diziam uns, nas tropicais terras das amazonas, sustentavam outros. Agora: tudo aquilo em troca de alguns conselhos? Ou estaria ele estabelecendo com a rainha uma nova aliança, abrangendo Oriente Médio e África, esta considerada como nova e promissora fronteira?

Fosse como fosse, àquela altura a hóspede já estava dando de dez a zero em qualquer das mulheres do harém. Todas juntas não tinham rendido à Coroa, em tributos ou em outras vantagens, a metade do que ela trouxera. Em beleza, a mesma coisa: todas juntas não chegavam aos pés da fascinante mulher.

As consequências não se fizeram esperar. Salomão simplesmente passou a ignorar esposas e concubinas — teriam de ficar de quarentena até o término da visita.

Mas mandou me chamar. Para dizer que, como anunciado na recepção aos visitantes, pretendia presentear a rainha com uma cópia da história que eu estava escrevendo. Vários escribas já estavam empenhados em reproduzir o que eu escrevera — mas era necessário também que eu concluísse a descrição do reinado de Davi e chegasse ao próprio Salomão. Ali figuraria a descrição da visita da rainha, mencionando os quatro mil quilos de ouro e tudo o mais. Esse seria o capítulo final, o fecho de ouro (ouro metafórico, claro; o verdadeiro já estava no tesouro real) da narrativa. Que apressasse, portanto, a marcha dos trabalhos.

Eu não disse nada. O que poderia dizer? Estava encarregada de uma tarefa, tinha de cumpri-la. Os prazeres, esses ficavam reservados à rainha de Sabá. Que era linda. Que tinha oferecido quatro mil quilos de ouro ao rei. Eu não tinha do que reclamar. Voltei, portanto, ao manuscrito.

Estava às voltas com o meu trabalho quando bateram à porta. Era uma escrava. Trazia um recado das mulheres: queriam que eu fosse ao harém conversar com elas. O assunto, não sabia dizer. Mas tratava-se de coisa urgente.

Não precisei pensar muito para chegar à conclusão de que o pedido tinha a ver com a visita da rainha. Mais: certamente era algo sério; alguma crise estava para explodir. Apesar de estar lutando contra o relógio — a história de Davi se revelava complicada —, dei um jeito e fui até lá.

Como antecipara, encontrei-as em pé de guerra, revoltadíssimas com o que chamavam de desprezo de Salomão. Desde que a negra chegou, dizia uma, não temos mais vez. Outra acrescentava: esse rei não é sábio coisa nenhuma, ele se deixa enganar por qualquer forasteira que apareça. Havia até quem falasse em bruxaria, tal prática sendo comum na África: um filtro amoroso qualquer colocado disfarçadamente no vinho de Salomão e pronto, lá estava o idiota, babando de paixão.

Depois de discutir muito, haviam decidido desencadear um movimento de protesto e queriam que eu assumisse o comando; afinal, tendo certa ascendência sobre o rei (ao menos assim o imaginavam), poderia levar-lhe as reivindicações do harém.

Meses antes eu talvez tivesse aceito, e até de bom grado, a incumbência. Agora, porém, tudo mudara, eu já não era a mesma. Não sentia a menor vontade de comprar aquela briga. Cansaço? Resignação? Não sei. O certo é que me faltava o ânimo para tal. Mas também não podia abandoná-las; afinal, eram companheiras, e se estavam passando um transe difícil era meu dever ajudá-las.

Perguntei o que tinham em mente e era, claro, uma greve de sexo: um pacto segundo o qual nenhuma delas aceitaria ir para a cama com Salomão.

— Mas é justamente o que ele quer — eu disse.

Olharam-me, assombradas. Como? Uma greve das mulheres não perturbaria o rei? Eu disse que não, que em matéria de sexo Salomão provavelmente estava muito satisfeito com a visitante. Portanto era inevitável que passasse aquele período trepando com ela. A verdadeira questão era outra: estaria ele pensando em prolongar aquela união? Cogitaria transformar a aliança política num casamento de verdade? E se isso acontecesse, que papel estaria reservado às esposas e concubinas?

Perguntas incômodas, que deixaram as mulheres desconcertadas — tanto mais que eu própria não tinha resposta para elas.

— Quer dizer que não podemos fazer nada? — perguntou uma delas.

— Eu não disse isso — repliquei. — Disse que vocês terão de agir com a cabeça. E a primeira coisa é descobrir o que pretende Salomão com essa mulher.

Sim, aquilo lhes parecia lógico; só não sabiam como agir. De novo, pediram — pediram, não, imploraram — a minha ajuda. Eu tinha como ajudá-las. Por uma simples razão: a rainha estava alojada nos aposentos ao lado da minha sala. Todas as noites Salomão ia lá. O pretexto talvez fosse dar conselhos sobre captação de recursos externos, mas o resultado era outro: aquela conhecida sinfonia, gemidos, suspiros, gritos até — casal barulhento estava ali (e por que haveriam de trepar em silêncio, se não precisavam dar satisfações a ninguém?). Nos primeiros dias eu fizera o possível para não escutar, tapando os ouvidos com algodão, procurando concentrar minha atenção no trabalho — àquela altura eu estava empenhada na descrição do Templo, com todos os detalhes exigidos pelo rei, e que não eram poucos. A pedido das mulheres, passei a colar a orelha na parede e a escutar com atenção. O trabalho que esperasse. Queria saber o que diziam, o rei e a rainha.

Para minha surpresa, falavam muito. Antes da trepada, durante a trepada, depois da trepada. Não eram as sacanagens habituais entre namorados, a mulher gritando, mete mais fundo, o homem dizendo, como tu és gostosa, bem, como tu és gostosa. Não. Para minha surpresa, e profunda inveja, o diálogo deles era refinadíssimo — e em versos. "Tua boca cubra-me de beijos", dizia ela, no hebraico que aprendera especialmente para a viagem, e continuava: "São mais suaves que o vinho tuas carícias e mais aromático que perfumes é o teu nome, por isso as jovens de ti se enamoram".

(E depois ficam no harém, curtindo a raiva, acrescentaria eu.)

Salomão, por sua vez, vinha com comparações alusivas ao poder e à riqueza: "Às parelhas dos carros de faraó eu te comparo, minha amada. Graciosa é tua face, gracioso é o teu pescoço. Faremos para ti brincos de ouro, com filigranas de prata".

(Ouro fornecido por ela. Prata fornecida por ela. Que cretino.)

Às vezes deixavam de lado essas manias de grandeza e partiam para umas comparações mais ecológicas, por assim dizer. Ela era "o lírio entre os espinhos", ele, a gazela (gazela!) que vinha "saltando pelos montes". Ele descia a detalhes anatômicos: "Teus cabelos são como um rebanho de cabras" (cabras, hum. Teria o pastorzinho feito escola, com certas preferências sexuais?). "Teus dentes são como um rebanho de ovelhas."

À licença poética ele acrescentava por vezes a vergonhosa mentira. Lá pelas tantas disse-lhe: "Sessenta são as rainhas/ oitenta as concubinas/ e numerosas as donzelas./ Uma só, porém, é a minha pomba...".

Ou seja: as setecentas esposas ficavam reduzidas a sessenta, um abatimento de mais de noventa por cento. Já as concubinas sofriam uma perda bem menor, de trezentas para oitenta. O que tornava ainda maior a desconsideração com as cônjuges. Agora: será que aquela tonta da rainha de Sabá não se dava conta disso? Todos sabiam que ela ficara pasma diante da pretensa sabedoria do rei, mas era isso motivo para que perdesse por completo a capacidade de raciocinar? Qualquer pessoa podia ver que o número de mulheres no harém era muito superior ao mencionado por Salomão naquela esdrúxula declaração de bens matrimoniais — como é que ela não percebia? Talvez porque ele não lhe desse tempo, cumulando-a de elogios: "Teu ventre é como uma taça/ que não lhe falte vinho...". E dê-lhe risinhos, e dê-lhe gemidos, e dê-lhe sacanagem, muita sacanagem.

Era o que eu ouvia, ou que julgava ouvir, porque às vezes falavam muito baixo e eu tinha praticamente de adivinhar o diálogo. E registrava tudo, enchendo pergaminho atrás de pergaminho. Escasso consolo — em vez de foda, escrita —, mas serviria aos meus objetivos: pretendia, no devido momento, apresentar aquilo como prova de acusação: "Negas que, na noite de quinze para dezesseis, deitado com essa mulher, comparaste o ventre dela a uma taça, num claro estímulo à indecência e também, mas não menos importante, ao consumo exagerado de bebidas alcoólicas?".

No momento, porém, não estavam nem aí para possíveis acusações. A rainha de Sabá, então, sentia-se dona do campinho. Não apenas se instalara no palácio, como também trouxera para ali a corte inteira, incluindo os escravos; esse pessoal todo passava o dia nos corredores do palácio, rindo, falando alto, cantando. Gente exótica, ainda que não de todo antipática.

Havia entre eles um tipo que me parecia muito estranho, sinistro mesmo. Esse homem ocultava-se sob um amplo manto que lhe cobria o rosto e deixava de fora só olhos — e que olhos eram aqueles. Havia neles um brilho selvagem, alucinado quase, que me causava arrepios. E o pior é que estava sempre a me mirar. Coincidência ou não, o certo é que constantemente eu o encontrava pelos corredores do palácio, perto dos meus aposentos. Indagando daqui e dali, descobri que o homem não era um súdito da rainha; tratava-se de um judeu que abordara os chefes da caravana no deserto do Sul. Alertando contra o perigo daquelas trilhas enganosas, cheias de bandidos, o homem oferecera-se para conduzi-los a Jerusalém, oferta que fora aceita de bom grado: ele deveria inclusive guiá-los na volta. Tudo muito plausível, mas — por que o sujeito me fitava tão insistentemente? Até mesmo os anciãos o tinham notado; o ex-safado, aquele que me devia a assombrosa ereção, dizia, irônico (e não sem ciúmes), vai ver que o cara se apaixonou por ti.

Eu precisava tirar a limpo aquela história. Uma tarde, já ao crepúsculo, encontrei o embuçado, sozinho, no corredor. É agora, pensei. Criando coragem, aproximei-me dele. Não se afastou; ao contrário, parecia esperar aquele momento. Por um instante, ficamos nos olhando, ele com aquela mirada fixa, hipnótica. Até que não aguentei.

— Mas afinal, cara, o que queres comigo?

Não respondeu de imediato. Quando o fez, foi numa voz rouca, quase inaudível.

— Tu sabes quem eu sou.

O pastorzinho. Deus do céu, era o pastorzinho. Minha primeira reação foi de júbilo; então, tu estás vivo, que bom, eu não sabia de ti, me afligi tanto, mas felizmente escapaste, que bom.

Ele, contudo, não manifestava nenhum entusiasmo, nenhuma alegria. Eu pensara que ia me abraçar, ou, pelo menos, saudar-me com entusiasmo. Mas não, continuava me olhando, imóvel. O que me inquietou profundamente. O que significava aquele silêncio, aquele olhar fixo? Sem dúvida mudara, e muito. O rapaz que corria pelas sendas da montanha, o rapaz que apascentava as cabras (e que as traçava), o rapaz que levara minha irmã para a caverna, o rapaz que se prontificara a entregar a carta a meu pai — não era aquele rapaz que eu tinha diante de mim. Era um tipo estranho, diferente, que me inspirava incontrolável temor. Por quê? O que o fizera mudar? Sim, passara por maus momentos, o apedrejamento, a expulsão, a luta com os soldados, a perda do braço — o que aliás explicava o manto: ele não queria mostrar o aleijão. Nada disso explicava, porém, aquela frieza, aquele distanciamento; sobretudo, nada explicava o brilho um tanto alucinado que eu via em seu olhar e que me deixava intimidada: como se eu fosse responsável por seus sofrimentos. Criei coragem: o que aconteceu contigo, perguntei. Ele hesitou, olhou ao redor.

— Aqui não dá para falar. Podemos ir para um lugar mais reservado?

Eu disse que sim, que poderíamos conversar na minha sala. Então tens uma sala no palácio, observou irônico, uma sala só para ti.

— Está bem. Vamos até lá.

Fomos. No corredor cruzamos com um dos anciãos, que nos olhou, suspeitoso. Que nos olhasse suspeitoso, eu estava cagando. Precisava falar com o pastorzinho, precisava saber o que estava se passando. Porque alguma coisa, disso agora estava certa, estava se passando.

Entramos, fechei a porta. Com muita dificuldade, e usando como podia o coto do braço, livrou-se das pesadas vestes.

Era um homem bonito que eu tinha diante de mim, não o garoto que conhecera no passado. Contudo, a expressão do rosto — ainda com cicatrizes das pedradas que recebera — era amarga, selvagem mesmo. Amargura como aquela eu ainda não tinha visto. Mas ele não era daqueles que ficam chafurdando no próprio ressentimento. Olhou ao redor, certificando-se de que estávamos a sós, de que ninguém podia nos ouvir. E então, aproximando-se de mim, disse, num tom confidencial:

— Estou aqui com uma missão. Não se trata apenas de conduzir a caravana da rainha. Isso foi um pretexto para entrar no palácio. Minha missão é outra. Minha missão tem a ver com vingança. Sagrada vingança.

Só então notei os punhais que levava à cintura. E estremeci: dois punhais, um de cada lado, punhais recurvos, punhais de assassino. O homem estava falando sério. Pelo visto, alguém pagaria pelo braço que ele perdera. Adivinhou-me o pensamento, sorriu, amargo.

— Deves achar que é uma coisa pessoal, que quero me vingar dos soldados do rei. Estás enganada. Se queres saber, perder o braço foi até uma bênção para mim. Foi uma mensagem divina, que me obrigou a pensar sobre minha vida e meu destino. Quem era eu, antes disto? Tu sabes muito bem: um pecador, um depravado. Pois se até com cabras eu tinha relações sexuais, imagina.

Constrangida pausa, mas, já que começara, iria até o fim.

— Eu era um mestre nisso. Aproximava-me por trás, entoando baixinho a canção que, eu sabia, enfeitiçava-as, e então, crã, possuía-as; uma, duas, três, não havia limite para aquela abominação. Pobres cabras, pobres criaturas, pagavam o preço da minha tesão. E com tua irmã foi a mesma coisa: abominação em cima de abominação. Mas aí é porque ela pedia, não porque eu exigisse. Sinto te dizer, mas ela é uma pecadora tão grande quanto eu. Pensei que me amasse, mas não, o negócio dela era outro, era sexo baixo, vil. E eu paguei o preço.

Eu ouvia. Horrorizada? Não, horrorizada não. Fascinada? Não, fascinada também não. Ouvia-o, simplesmente. E não sabia o que pensar daquela surpreendente confissão.

— Teu pai mandou me apedrejar e me expulsou — prosseguiu —, mas o castigo de nada adiantou. Não foi a lição de que eu precisava. Porque ele estava apenas se vingando, compreendes? Ele não estava agindo em nome do Bem, estava agindo em seu próprio nome, castigando-me para manter sua reputação. Não mudei em nada. Deixei a nossa terra, vim para Jerusalém, continuei na senda do pecado. Depois que a gente começa, tu sabes, é difícil parar. E não eram só as coitadas que eu pegava na rua, não. Até aqui no palácio tive uma amante, uma concubina velha... Ela me viu uma vez, da janela, e se apaixonou por mim. Escapava do harém para se encontrar comigo. Pensas que fui grato a essa mulher? Nada. Explorei-a o que deu. Tirei-lhe joias, tirei-lhe dinheiro...

Pobre Mikol. Pobre, pobre Mikol.

— E foi aí que te encontrei. Fazia dias que eu não via a mulher, o que era um desastre: sem a ajuda dela eu até passava fome, precisava pedir esmola. Tive a ideia de me colocar junto ao muro do palácio tocando flauta — ela conhecia essa minha habilidade. Mas quem apareceu foste tu, não ela: e aí me pediste para levar a carta a teu pai. Eu aceitei, sabes por quê? Porque fiquei emocionado ao te ver. E fiquei emocionado porque-

Interrompeu-se, ficou um instante fitando-me de maneira estranha. Algo tinha a me dizer, algo que era muito importante, mas que o perturbava — e perturbava a mim também. De repente, tudo o que eu sentira por ele estava voltando; e desta vez, parecia-me, era algo que ele partilhava também. Daí a sua comoção. Mas a ela não se entregaria. Respirou fundo:

— Deixa pra lá. Um dia, se for o caso, falaremos nisto. Agora quero te contar o que aconteceu. Como eu estava dizendo, naquele momento os soldados me surpreenderam. E foi aquilo que tu sabes. Queriam que eu lhes entregasse a carta, a carta que tu me havias confiado. Eu disse que não, que defenderia o pergaminho com minha vida se fosse preciso. Vieram para cima de mim, eu me defendi como pude, mas era uma luta desigual, espada contra punhal. Perdi o braço, cortado pelo chefe deles. Quase morri, mas felizmente uma alma caridosa me socorreu. Aleijado, saí a vagar de novo pelos caminhos, pedindo esmolas, passando fome. Mas ainda assim, por incrível que te possa parecer, eu não tinha aprendido nada. Estava possuído de ódio, sim, mas de um ódio cego, sem propósito. Finalmente, depois de vagar muito, cheguei — mas aquilo não foi acaso, foi desígnio divino — à montanha, à nossa montanha. E lá na antiga caverna das abominações, na caverna onde teu pai trepava, e onde eu comia as cabras, e depois a tua irmã, encontrei o Mestre da Justiça e seus discípulos.

Olhou-me.

— Mestre da Justiça. Nunca ouviste este nome, não é? Mas vais ouvi-lo. Daqui por diante, vais ouvi-lo. O Mestre da Justiça era como teu pai: um rico patriarca, homem poderoso, mas devasso. Fodia adoidado, maltratava a gente de sua tribo. Como eu, ele foi castigado. Por Salomão: como não podia pagar os tributos, prenderam-no. Ficou três anos no cárcere, aqui em Jerusalém. E aí aconteceu: uma noite o irmão de Salomão, um menino de olhos muito grandes e muito tristes, apareceu-lhe em sonhos. Disse que, apesar de morto, não podia repousar, por causa dos pecados e da arrogância do rei. Tu tens uma missão, anunciou, cabe-te limpar a nossa terra do pecado, da depravação. O Mestre da Justiça saiu então pelo país, a pregar, seguido pelos discípulos — um grupo pequeno, porque, como sabes, são poucos os eleitos. Desse grupo, pela graça de Deus, passei a fazer parte quando escutei pela primeira vez as palavras do Mestre, sábias palavras que mudaram minha vida.

E o que ele diz, perguntei.

— Ele diz — olhos brilhantes, face iluminada —, ele diz que o fim está próximo. Os sinais já estão presentes, diante de nós. Tu mesmo podes ver: Salomão, nosso rei, não mais respeita a palavra do Senhor. O harém está cheio de estrangeiras, moabitas, amonitas, edomitas, hititas, sem falar nessa rainha de Sabá, essa negra com quem ele agora deita todas as noites. Salomão segue Astarté, a Grande Deusa para os pagãos, a Grande Prostituta para o nosso povo, a divindade diante da qual os poderes do mundo inferior se curvam. Salomão construiu um templo para os deuses dos amonitas. E, para financiar esta abominação toda, o povo geme sob o peso dos impostos. Este é o rei sábio? Responde, esta é a sabedoria dos reis?

Sem esperar a minha resposta, prosseguiu, cada vez mais exaltado.

— Mas nós, os Guerreiros do Bem, já estamos nos preparando, sob o comando do Mestre da Justiça. Por enquanto, como te disse, somos poucos. Mas logo multidões se juntarão a nós. E então travaremos a batalha final. Quando isso acontecer, rios de sangue correrão nesta terra, carregando consigo o pecado e a abominação.

Eu agora estava impressionada — e alarmada. Não havia dúvida, o rapaz estava disposto a matar e a morrer. Uma dúvida me inquietava: o que estava ele fazendo no palácio? Por que acompanhara a rainha de Sabá? Tratava-se de uma missão, ele dissera. Que missão? Foi o que perguntei, mas recusou-se a responder. Com um pálido sorriso, e recusando minha ajuda, tornou a vestir o manto:

— O que eu tinha a dizer, já disse. O resto tu verás, quando chegar a hora. E a hora, posso te garantir, está próxima.

Com ar agora despreocupado, casual — o que contrastava espantosamente com sua anterior agitação — pôs-se a andar pelo quarto. Olhou os manuscritos nas prateleiras, quis saber do que se tratava. Contei que estava escrevendo o livro para Salomão.

— Um livro — suspirou ele. — Sim, eu imaginava isto, que um dia escreverias um livro. Sempre foste muito inteligente. Mais inteligente que tua irmã — mais inteligente e mais decente. Pensando bem, eu-

De novo interrompeu-se. Tornou a olhar o manuscrito. E disse, num tom que se esforçava por parecer neutro mas que traía uma inequívoca ansiedade.

— Imagino que este livro seja muito importante para ele.

— É. É muito importante. Ele diz que é tão importante quanto o Templo. Pretende até dar uma cópia à rainha de Sabá.

Guardou o manuscrito na prateleira, sorriu, irônico:

— E por isso te mantém presa aqui. Para que escrevas um livro destinado à rainha de Sabá. É mais uma de suas abominações. Mas isto vai acabar, te garanto. Mais depressa do que se imagina.

De novo o enigma. O que estava querendo dizer com aquilo? Antes que eu pudesse lhe perguntar, disse que tinha de ir, sua ausência poderia parecer suspeita. Tomou-me a mão — e agora havia afeto em seu gesto, afeto e ternura — e pediu que não contasse a ninguém a nossa conversa. Com um sorriso — que tinha algo de sinistro, mas no qual ainda estava, de algum modo, a timidez do pastorzinho — abriu a porta e desapareceu nas sombras do corredor.

Deixei-me cair sobre o leito. Estava tão confusa, e tão amedrontada, que não sabia em que pensar. Mas sabia que tinha de descobrir, e logo, o que trouxera o pastorzinho ao palácio. Uma missão, ele dissera. Mas que tipo de missão poderia o rapaz ali desempenhar — sozinho? Será que pretendia, por exemplo, fazer uma pregação qualquer ao estilo dos tradicionais profetas gritando, o fim está próximo, o fim está próximo? Não. O estilo dele não era de fazer discursos. O estilo dele era outro. A ação que planejava não era aquela. E qual era, então?

De repente me ocorreu: um atentado. Claro. Como não tinha pensado naquilo antes? Um atentado. Cuidadosamente planejado, pelo visto. O encontro com a caravana da rainha, que certamente não fora casual, proporcionara-lhe a oportunidade de entrar no palácio sob o disfarce de guia. E agora ele estava ali, armado e pronto para a ação.

Mas — atentado contra quem? Contra uma das mulheres de quem falara com tanta raiva, uma moabita, uma amonita, uma edomita, uma hitita? De que adiantaria matar uma mulher só, se eram tantas no harém? Ou quem sabe era alguém da corte — por exemplo, o chefe da segurança, aquele que lhe cortara o braço? Também não: com esse, já poderia ter ajustado as contas. Além disso, não parecia ter muita raiva dos soldados que o haviam atacado e que, afinal, haviam cumprido ordens.

Não, o alvo dele era outro.

Salomão. Era o rei que ele queria. Quando me dei conta disso, senti um calafrio. Salomão? O rei? Contudo, fazia sentido. Na lógica do rapaz fazia sentido. Afinal, o rei era o supremo pecador — e o supremo traidor: o homem que usara a sabedoria concedida por Deus para engrandecer-se a si próprio, para viver na riqueza, no esplendor, na luxúria. Que tivesse construído o Templo certamente não importava. O Templo era o território do alto clero, unido por interesses ao próprio rei. Não, o Templo não neutralizava a transgressão da lei divina. Salomão, decidira o tal Mestre da Justiça, precisava ser punido. E o antigo pastorzinho era o instrumento dessa punição.

Uma coisa, contudo, me intrigava: por que contara-me ele tudo aquilo? Por que me fizera de confidente? Só havia uma explicação: considerava-me aliada. Porque, no seu modo de ver, eu era, como ele próprio, uma vítima: vítima de meu pai, vítima de Salomão. Fechada naquele quarto, escrevendo um livro — era uma escrava do rei, ansiando por liberdade.

E eu era uma escrava? Foi a pergunta que me fiz naquele momento. Transcendente pergunta; dependendo da resposta que eu própria me desse teria de agir de diferentes maneiras. Eu era uma escrava? Estava eu submetida à vontade de Salomão?

Não. Eu não era uma escrava. Nem ansiava por liberdade. Se era em cativeiro que eu vivia, a este cativeiro eu me acostumara; mais que isso, fizera do projeto de Salomão o meu projeto. A vida fora ruim, para mim? Talvez. Por não poucas humilhações passara, desde que chegara no palácio. E se quisesse acusar Salomão por tais humilhações poderia fazê-lo.

Mas não o faria. Porque havia o texto, a história que eu estava escrevendo. E o texto me consolava, me amparava, dava sentido à minha existência. Através do texto eu podia me comunicar com Salomão. E não era uma mensagem de ódio que lhe transmitiria. Eu sabia que no fundo ele era um ser humano, uma pessoa como outra qualquer. Não era melhor do que ninguém — nem pior. E por isso não merecia o castigo que lhe estava sendo preparado. Que não resolveria nada — e que talvez nem se consumasse. Eu não sabia ao certo o que o pastorzinho planejava, mas sabia que resultaria em desastre — para ele, provavelmente. Só o seu fanatismo o levara a pensar que podia entrar no palácio e matar o rei. A chance que tinha de ferir Salomão era mínima; antes que tentasse qualquer coisa, os guardas o fariam em pedaços. De qualquer modo, havia risco — para ele, ou, mais remotamente, para o monarca.

Só havia uma maneira de evitar a tragédia. Eu tinha de avisar Salomão. Um problema, naqueles dias: ninguém sabia ao certo onde ele andava, acompanhado da rainha. Corri até a sala do trono, na esperança de que estivesse lá, despachando. Não, não estava. Fui a seus vários quartos: também não estava.

Restava um lugar: os aposentos reservados à rainha de Sabá. Corri para lá. Sim, disseram os guardas que estavam à porta e que de imediato me barraram o caminho, Salomão estava ali, mas não queria ser importunado. Nervosa, expliquei que era coisa urgente, assunto de segurança. Argumentei, implorei — inútil. O rei não pode ser interrompido, repetiam, são as ordens que temos.

Aquilo me deu muita raiva — o rei fodendo, sem dar bola para nada, nem mesmo para o risco que estava correndo — mas eu não desistiria. Lembrei-me da parede, da parede através da qual eu ouvia as conversas dos dois. Se eu os escutava, na certa seria escutada também. Fui para o meu quarto, colei o ouvido na dita parede. Sim, lá estavam os dois, e era aquela coisa de risinhos e gemidos e a sacanagem em versos: tua boca cubra-me de beijos, teu ventre é como uma taça, o negócio que eu já conhecia de cor e salteado.

— Salomão! — chamei, através da parede. — Salomão, abre a porta, tenho algo a te contar, algo muito urgente!

Nenhuma resposta.

— Salomão! Teu trono está ameaçado!

Trono ameaçado? Pelo visto, ele não pararia de trepar por tão pouco. Que fosse para o diabo, o trono, foder era muito melhor.

— Salomão, tua vida corre perigo!

Nada. Perdi a paciência.

— Salomão! Porra, Salomão, será que não dá para parar de trepar e prestar atenção em uma coisa séria? Onde é que está tua sabedoria, calhorda?

O silêncio do outro lado era agora absoluto. Mas eu podia imaginar Salomão sussurrando ao ouvido da rainha: não liga, é aquela feia, a mulher não sabe mais o que vai fazer para me encher o saco, só porque não quis fazer amor com ela, agora me inferniza a vida. Enfurecida, peguei um candelabro, um pesado candelabro de bronze e pus-me a golpear a parede, as batidas retumbando no aposento. Nada. E aí chorei, desmanchei-me em lágrimas. Tão estúpido era aquele Salomão que pagaria com a vida a sua incontrolável tesão. E eu nada podia fazer.

Acabrunhada, sentei à mesa, e ali fiquei, imóvel, sem saber o que fazer, o que pensar. Diante de mim, os manuscritos, os pergaminhos. De repente, num gesto automático, peguei o cálamo e comecei a escrever. Era o que me restava: escrever, contar o que tinha acontecido, dar o meu testemunho daqueles momentos angustiantes. Um recado para o próprio Salomão — se sobrevivesse. Mas era também um recado sem destinatário preciso, a mensagem na garrafa lançada ao mar do tempo. E que conteria um recado: até mesmo o mais sábio dos homens torna-se um idiota quando o sexo vira-lhe a cabeça. Transmitir tal recado era para mim uma missão, semelhante àquela da qual o pastorzinho se dizia investido. Ou como a missão que o rei acreditara cumprir ao construir o Templo. Assim, comecei: "O rei Salomão possuiu muitas mulheres estrangeiras".

E parei. Era aquela, a mensagem? Aquilo estava mais para fofoca do que para proclamação. Pior, eu não estava dizendo nada de novo, da sacanagem a parede podia dar melhor testemunho do que eu. O que estava eu querendo, fazer queixa ao diretor? E quem era esse diretor? Não, eu tinha de partir para outra. Deixar o passado para trás e projetar-me rumo ao futuro. Eu queria profetizar. O que não era, dava-me conta agora, difícil. O que faziam os profetas, senão detectar no presente o germe daquilo que estava por vir? Era como seguir uma sequência numérica, na qual o três teria de vir inevitavelmente após o quatro. Era como iniciar um texto que, movido por sua lógica interna, se fosse autoescrevendo. Quando o profeta anunciara a Davi o castigo divino não estava adivinhando nada: favas contadas, aquilo. Claro que do amor entre o rei e Betsabá nasceria uma criança. Claro que esta criança representaria o testemunho de uma paixão culposa. E claro que seria sacrificada por isso, como os animais eram sacrificados no altar do Templo.

Como os profetas, eu estava vendo, com meridiana clareza, o que aconteceria daí em diante, não nos meses ou anos seguintes, mas nos séculos seguintes; um relato que poderia dar origem a muitos livros (e eu até imaginava um nome para esses livros, um nome grego, porque grego seria uma língua importante: Bíblia). Animada por uma força misteriosa minha mão escrevia, escrevia febrilmente. No caso do rei: o que poderia suceder a um fescenino babaca que ficava na cama com uma estranha, fodendo e recitando o Cântico dos cânticos, enquanto conspiravam para liquidá-lo? Se escapasse aos punhais continuaria construindo santuários e mais santuários, cultos e mais cultos brotando como cogumelos no esterco, na imundície na qual rolava com as mulheres a quem estava submetido por conta de sua fraqueza, de sua vaidade. O castigo seria inevitável; um castigo que, para seguir o tom geral do texto, eu chamaria de divino: "Então", escrevi, "o Senhor se irritou contra Salomão, porque este desviou o coração do Deus de Israel que lhe tinha ordenado não seguir deuses estranhos. E disse: 'Já que sabias disto, mas não observaste a aliança e os decretos que te impus, vou arrancar de ti o reino para entregá-lo a um dos teus servos. Contudo, em atenção a teu pai Davi, não o farei durante tua vida. Só o arrancarei da mão de teu filho". Narrei em seguida como uma revolta, ocorrida no reinado de Roboão, filho de Salomão, dividiu o reino em dois. Descrevi esses reinos dilacerados por conflitos; falei sobre o desespero de profetas que, como eu, tentavam alertar governantes contra os perigos da impiedade. Antecipei a ocupação da região por grandes potências estrangeiras, a última das quais senhora de um vasto império e o sofrimento do povo oprimido pelos mandatários estrangeiros, contrastando com a vida regalada dos seus aliados, os sacerdotes do Templo e os potentados locais. A resposta a essa situação só poderia ser a revolta — como a do pastorzinho — mas também o nascimento de uma nova religião. Nela, o Jeová enigmático, autoritário, seria substituído por um Deus-Pai, todo-poderoso, sim, mas ao mesmo tempo misericordioso. E haveria um Filho, com quem as pessoas poderiam se identificar em sua aflição; esse Filho, sob forma humana, pregaria o amor e a justiça, realizaria milagres, curaria enfermos — eu estava lembrando o desespero de minha amiga Mikol, doente e sem ter a quem recorrer. Naturalmente seria sacrificado pelos representantes do Império e seus cúmplices locais, mas ressurgiria de entre os mortos e ascenderia aos céus. Ah, sim, este Filho teria uma Mãe, uma figura feminina muito diferente da Eva ou mesmo das matriarcas (ou da minha omissa genitora), uma Mãe que seria o símbolo da bondade, uma figura feminina mediante a qual os fiéis poderiam apelar ao Pai e ao Filho. A Trindade se completaria com um Espírito Santo, simbolizado por uma ave — não os corvos com quem Salomão gostava muitas vezes de conversar, mas por um puro e inocente pombo, muito diferente dos pombos do palácio, neles incluído os portadores de almas penadas. Em vez de um Templo central, com seus custosos sacrifícios, surgiriam milhares de templos, grandes e pequenos, ricos e pobres, onde todos poderiam comparecer sem problemas, sem oferecer sacrifícios; sacerdotes ouviriam as pessoas e absolveriam seus pecados, livrando-as de nossa milenar culpa. O papo de Povo Eleito acabaria, a nova religião procuraria conquistar adeptos entre todos os povos, terminando inclusive com aquela história de se distinguir dos outros pela circuncisão. Diante da amplitude dessa nova religião, a glória de Salomão simplesmente seria eclipsada.

Estava nascendo o dia quando terminei de escrever. Olhei os pergaminhos, mais de dez. O que fazer com aquilo? Mostrar aos anciãos? De maneira nenhuma. Eu podia facilmente imaginar a reação deles: aos gritos de abominação, abominação levariam o material a Salomão, pedindo que eu fosse castigada exemplarmente. Mesmo porque a tarefa estando praticamente terminada, já não precisavam de mim.

Não, eu não podia mostrar aquilo a ninguém. O que eu tinha de fazer era outra coisa: guardar os manuscritos num recipiente qualquer, como um jarro cuidadosamente selado, e depositá-lo no fundo de certa caverna situada em certa montanha. Ali os pergaminhos repousariam por muito tempo, por séculos talvez. Até que um dia alguém — um pastorzinho, talvez, em busca de sua querida cabra extraviada — descobrisse ali a mensagem vinda do passado. E então diriam, com admiração, era sábia aquela mulher. Procurariam em vão os meus ossos, para exibi-los aos curiosos, mas não os encontrariam. O que restasse de mim estaria no texto, no salino resíduo das lágrimas que eu ali havia derramado. Mas, como chegar à caverna? Era nisso que eu pensava, quando bateram à porta. Era a encarregada do harém. Com um anúncio:

— Estão todos convocados para comparecer ao grande salão do palácio. É urgente.

Senti uma vertigem. Urgente? Então tinha acontecido? Aquilo que eu previra, tinha acontecido? Agarrei-a pelas vestes, histérica, o que houve, me diz, o que houve com o rei. Ela me olhava espantada — e irritada:

— O que é isso, mulher? — gritou, desvencilhando-se de mim. — Enlouqueceste? Enlouqueceste de vez? O rei está bem, claro que está bem. Por que não haveria de estar bem, ele? É ele próprio quem está nos chamando. Todos têm de estar lá, as esposas, as concubinas, os cortesãos, todos. Anda, apressa-te, estás atrasada.

Salomão estava bem. Oh, Deus, Salomão estava bem. Obrigada, Deus, Deusinho, obrigada por teres poupado a vida dele. Obrigada, Deus.

Mais tranquila, perguntei qual o motivo da convocação. Ela sacudiu a cabeça, sorrindo, irônica.

— Mas tu vives no mundo da lua, mesmo. Então não sabes? A rainha de Sabá vai partir, vamos todos homenageá-la. Quatro mil quilos de ouro, isto não é brincadeira, menina. De agora em diante, é vida boa para todos nós.

Olhou-me, estranhou:

— Quem não está bem és tu. Cara horrível, a tua. O que houve?

Eu me saí com uma explicação qualquer: não tinha passado bem à noite, muitas dores.

— Cólicas menstruais, tu sabes.

— Sei. Mas isto não é desculpa para faltares, o rei não te perdoará. Te arruma um pouco e vamos. Mas não demores. A despedida vai ser rápida, e já está para começar.

A despedida. Sim, eu deveria estar contente: a sedutora ia embora. Não mais risinhos, não mais gemidos, não mais sacanagem em versos: tua boca cubra-me de beijos, não mais; teu ventre é como uma taça, não mais.

E aí — tonta de sono, eu estava com o raciocínio lento — dei-me conta de algo que me deixou instantaneamente gelada de terror. Era o momento da despedida — e era o momento em que o pastorzinho executaria seu plano, o momento em que o punhal rasgaria as carnes do rei. Precisava avisar Salomão, com urgência. Como fazê-lo? Como? Eu não tinha a menor ideia. Uma coisa, porém, era certa: não podia perder a calma. Tinha de conservar o sangue-frio. De nada adiantaria sair correndo e gritando, alerta, alerta, um crime vai ser cometido. Com a fama de maluca que eu já tinha, o mais provável era que me contivessem e me fechassem no quarto para que eu não estragasse a festa. Não, eu teria de fazer aquilo de outra maneira. Mas de que maneira? Isso eu ainda não sabia: na hora, porém, decidiria o que fazer.

Arrumei-me rapidamente e segui a mulher. Os corredores do palácio estavam cheios, todos se dirigindo apressadamente ao salão. As mulheres do harém e as concubinas não escondiam a alegria: já vai tarde, diziam da rainha de Sabá. Os cortesãos, que durante todos aqueles dias também tinham ficado marginalizados, partilhavam dessa satisfação.

Para meu desespero, o imenso recinto já estava cheio quando lá entrei. Eu não tinha como chegar perto das cadeiras reservadas para Salomão e a rainha de Sabá. Tentei passar, aleguei que, sendo baixinha, não enxergava nada, mas ninguém me dava lugar: quem pensas que és, achas que, só porque escreveste o tal livro, tens direitos especiais? Resignei-me em ficar ali, na porta, tentando ver o que estava se passando.

De repente avistei o pastorzinho. Como eu, constatei com certo alívio, estava junto a uma porta, do lado oposto: teria de passar por muita gente, para chegar ao rei. Mas sem dúvida estava disposto a fazê-lo. Eu adivinhava-lhe a mão, por baixo do manto, segurando o cabo do punhal.

Tentei desesperadamente capturar-lhe o olhar. Não o faças, era a muda mensagem que eu lhe queria enviar, não conseguirás o que queres, eu sei que não conseguirás, eu já escrevi que Salomão sobreviverá e não foi em vão que o escrevi, foi uma premonição que se apossou de mim, a cortina do futuro se abriu diante de meus olhos, não o faças, Salomão pagará por seus erros, Deus já o está providenciando, não é preciso que sacrifiques tua vida nesta doida empresa.

Um homem postou-se junto de mim, um homem armado, espada à cintura. De imediato eu o reconheci: era o chefe da segurança, o oficial que tinha cortado o braço do pastorzinho. Aquilo era o que eu estava esperando, a ajuda que Deus, enfim, enviava. Sem vacilar, puxei-o para um lado:

— Isto é urgente — sussurrei a seu ouvido. — Estou seguramente informada de que haverá um atentado contra o rei. Agora.

Olhou-me, incrédulo: um atentado? Contra o rei? Um atentado contra o rei, no palácio cheio de gente — cheio de soldados, de guardas? Impossível.

— É verdade — insisti. — O guia que conduziu a caravana, ele quer matar Salomão. Não é guia coisa alguma. É o homem a quem cortaste o braço, e que agora pertence a um bando de fanáticos. Veio para isto, para assassinar o rei.

Ele continuava não acreditando: o guia da caravana era um rapaz quieto, não tinha jeito de bandido. Já agora em lágrimas, pedi que ao menos revistasse o rapaz, encontraria dois punhais na cintura dele.

— Está bem — resmungou por fim. — Vou fazer isso, mas só porque estás pedindo. Onde está o cara?

— Lá — respondi, apontando o outro lado do salão. Mas, para minha surpresa, e horror, o embuçado já não estava ali.

De súbito, o oficial convenceu-se de que eu falava sério: se o rapaz já não estava ali, era bem possível que tentasse atacar o rei antes que este entrasse no salão. Chamando dois soldados, saiu correndo pela porta. Mas aí respirei aliviada: no mesmo momento, e ao som de fanfarras, entrava Salomão com a rainha de Sabá, ele, esplêndido no manto real, ela mais deslumbrante do que nunca. Todos educadamente aplaudiram. Sorrindo, os dois tomaram assento, nas cadeiras cercadas de guardas. Embora não soubesse disso, estava a salvo, o rei. Ali o pastorzinho não poderia atacá-lo.

Respirei aliviada. Era um grande filho da puta, aquele Salomão, mas o que podia eu fazer, se gostava tanto dele, se estava feliz por ter ele escapado? Que me traísse, que desse à rainha de Sabá o lugar com que eu tanto sonhara: estava vivo, e isso era o que importava. Por outro lado, rezava para que o pastorzinho, dando-se conta do fracasso, desaparecesse silenciosamente. O perigo afastado, não seria necessário que o prendessem; se tal acontecesse, certamente seria executado por traição. E isto eu não queria... Não, não queria. Queria que ele vivesse, o pobre pastorzinho, o infeliz pastorzinho, o pastorzinho que, como eu, não encontrava o seu lugar no mundo. Mas onde estaria? Teria voltado ao salão? Eu me punha na ponta dos pés tentando, em vão, avistá-lo.

Nesse momento, ouviram-se gritos no corredor: fogo, fogo! Imediatamente um forte cheiro de queimado invadiu o salão. Saímos todos para fora, em pânico, as mulheres gritando como loucas.

O corredor estava cheio de fumaça. Atarantada, caminhei uns passos — e fui interceptada pela encarregada do harém:

— É no teu quarto — gritou. — É lá o incêndio.

Corremos para lá. De fato, estava tudo em chamas, ali. Tudo: os móveis, as roupas. Os meus manuscritos. Toda a história que eu escrevera e toda a minha premonição. Jeová. Adão e Eva. Caim e Abel. Abraão, Isaac e Jacob. Moisés. Saul e Davi. Salomão e o Templo. A rainha de Sabá. O Pai, o Filho, o Espírito Santo. A Mãe. Milagres e maldições, recompensas e castigos, risos e lágrimas, mandamentos, sonhos, visões, profecias. Tudo virando cinza. Nada sobraria dali, nem mesmo a cópia da rainha, que eu acabara de revisar, e que lhe seria entregue no momento da partida. Abaixei-me, peguei um fragmento de pergaminho queimado. "Perguntaram então", estava escrito ali. Quem havia perguntado? E o que havia perguntado? A quem havia perguntado? Qual fora a resposta? Eu já não sabia do que se tratava. Nem nunca saberia. Que outro, ou outra, refizesse o texto. A minha tarefa tinha terminado.

Em meio à fumaceira, avistei o pastorzinho, seguro por dois soldados — um agarrava-o pelo braço, o outro pelo coto do braço. Tinha perdido o manto, estava seminu, sangrando por vários ferimentos. Mas estava de cabeça erguida e a expressão no seu rosto era de triunfo, desesperado triunfo, mas triunfo. Junto aos homens estava o oficial a quem eu avisara do possível atentado.

— Foi ele — bradou. — Ateou fogo aos pergaminhos. Queria criar confusão e assim se aproximar do rei.

Não. Não era aquilo. Não era o rei que o pastorzinho queria, disso agora eu me dava conta. Talvez matá-lo tivesse sido seu objetivo, a missão que lhe fora delegada pelo Mestre da Justiça — mas até a noite anterior. Depois de vir a meu quarto ele mudara. Já não se tratava mais do rei. Tratava-se do manuscrito real. Não: tratava-se de mim. Eu o percebi no momento em que ele, conduzido pelos soldados, passou por mim e nossos olhos se cruzaram. Foi pensando em ti que eu fiz isto, dizia-me aquele terno, triste olhar, foi para te libertar. Pobre pastorzinho, querido pastorzinho.

Aí vem o rei, disse alguém, e de fato Salomão estava chegando, acompanhado pela rainha de Sabá. Da porta, olhou o que restava do quarto, onde o fogo já fora apagado. Viu os manuscritos — a obra que o consagraria — queimados, mas nada disse, não manifestou qualquer tipo de emoção. Afinal, era o rei, e um rei tem de se conter na frente dos súditos, sobretudo um rei que se pretende sábio e poderoso.

Olhou-me, o rei. Agora, sim, havia tristeza em seu olhar, pelos escritos perdidos, mas também, disso eu tinha certeza, por mim. Tu estavas nesse texto, era o que ele estava me dizendo, o teu esforço, a tua paixão; sinto por ti, tanto quanto sinto por mim e pela obra.

Ao fim e ao cabo, era um bom homem, o Salomão. Mas era também o rei — e naquele momento precisava cumprir suas funções de rei. O que vamos fazer com esse elemento, perguntou o chefe da segurança, apontando o subjugado pastorzinho. Salomão pensou um pouco:

— Vamos julgá-lo. Já.

Voltou-se para a rainha de Sabá:

— Querias um julgamento? Pois agora verás. — Sorriu: — Em lugar do livro que te prometi.

E anunciou em voz alta, forte:

— Vamos para a sala do trono. Todos.

E fomos. À frente do cortejo, o chefe de segurança e os guardas, conduzindo o pastorzinho. Depois Salomão e a rainha de Sabá. E as esposas, as concubinas, os cortesãos, tornamos a lotar o recinto. Lentamente o rei galgou os degraus do trono. Mas não sentou. Lá de cima, mirou o pastorzinho:

— És acusado — disse, em voz neutra, pausada — de ter colocado fogo num aposento do palácio, como parte de uma trama contra o rei. É um crime grave. Ademais, resultou na destruição de um documento de grande valor, um documento que exigiu muito trabalho, muito esforço.

Pausa. O silêncio era completo.

— É verdadeira, esta acusação? — perguntou o rei.

O prisioneiro não respondeu: olhava-o, apenas, fixamente.

— O teu silêncio — continuou Salomão — equivale a uma admissão de culpa.

Nova pausa. Todos, ansiosos, esperavam pela sentença. E aí, a surpresa:

— Não te condenarei — disse o monarca. Um murmúrio de espanto ergueu-se da audiência, um murmúrio que ele fez cessar erguendo a mão. Prosseguiu: — Nada me fizeste. Não passas de uma vítima de ti mesmo, dos teus próprios rancores.

Mais uma pausa (pausas, pelo jeito, eram essenciais para dar peso, ou ao menos dramaticidade, a um veredicto), e prosseguiu.

— Eu te libertaria. Mas não posso fazê-lo. Destruíste também o trabalho de uma pessoa, e esta pessoa tem o direito de exigir que sejas castigado.

Apontou para mim:

— Tu. Tu vais julgá-lo.

Eu? Eu, julgar o pastorzinho? Eu, a feia, a esposa rejeitada?

Eu? Não. Eu não poderia fazer aquilo. Era uma honra, e todos me olhavam com admiração e inveja — mas não, quem era eu para julgar, Domine, non sum digna. Ele, porém, insistiu, e desta vez era uma ordem:

— Tu, sim. Vem, toma o meu lugar.

Desceu, veio até onde eu estava, indicou-me a escada:

— Anda. Sobe.

Não havia outro jeito. Lentamente, comecei a subir os degraus, olhando os leões. Apesar da aparência feroz, da dentuça arreganhada, estavam imóveis. Eu temia não apenas que sacudissem a cabeça desaprovadoramente — essa não, uma mulher indo em direção ao trono, uma feia, ainda por cima —, mas que, pior, saltassem de seus pedestais e se colocassem em meu caminho, no pasarás, no pasarás. Mas não, as feras continuavam imóveis. E estavam imóveis porque alguém — não o rei; o operador das engrenagens — mantinha-os imóveis. Teria ele ouvido a ordem de Salomão? Ou tomara a decisão baseado em seu próprio julgamento? Segundo a lenda, a sabedoria do monarca resultava de certos livros colocados sob seu trono; era como se tal sabedoria, emanada dos pergaminhos, penetrasse, como um eflúvio, no cérebro do soberano. Mas não seria ela transmitida — uma espécie de mecanismo telepático — pelo operador dos leões ao monarca? Será que não passava Salomão de uma espécie de preposto de um humilde operário que jamais via a luz do dia? Uma pergunta para a qual eu não obteria resposta. Não naquele momento. Chegava ao trono.

Depois de uma pequena hesitação, sentei-me. Estava frio, o assento, hostilmente frio. E era alto o trono, muito mais alto do que eu tinha imaginado. Lá em cima eu me sentia isolada. Não era o mesmo isolamento que experimentava ao galgar a montanha e ao contemplar, lá de cima, o deserto; não, era do isolamento do poder que se tratava ali. Um isolamento, um poder, para os quais eu não estava preparada. Toda aquela gente, centenas de pessoas, mirando-me, esperando por minhas palavras, aquilo verdadeiramente me aterrorizava. Mas eu não podia entrar em pânico, não naquele momento. De modo que respirei fundo e preparei-me para julgar. Vamos lá, gente, onde é que está a criança para ser cortada em duas, vamos lá.

— Aproxima-te — disse ao pastorzinho. Ele se aproximou do trono. Olhava-me com tal assombro, com tal temor, que me deu uma vontade imensa de rir: qual é a tua, cara, toca fogo nos manuscritos depois fica aí te cagando de medo, qual é a tua.

— É verdade — perguntei — que queimaste o manuscrito mencionado por nosso rei, por Salomão?

(Pergunta desnecessária, mas outra não me ocorria. Servia ao menos para ganhar tempo.)

— É — balbuciou. — É verdade. Queimei mesmo. Queimei o tal do manuscrito.

— Hum. Queimaste o manuscrito... Certo, queimaste o manuscrito.

Como o rei — mas tinha aprendido muito bem a minha lição, eu —, fiz uma dramática pausa. E então anunciei o meu veredicto, um veredicto que até a mim causou surpresa, porque eu me ouvia falando, e era como se a voz não fosse minha, como se alguém estivesse falando por minha boca — quem? Não a esposa de Salomão, por certo; talvez a garota que corria pelas veredas da montanha, aquela garota que, apesar de infeliz, nada temia:

— Que este homem seja posto em liberdade. Que ele guie de volta a rainha de Sabá.

Minhas palavras desencadearam uma verdadeira tempestade: vaias e aplausos se misturavam. Para minha surpresa — gratificante surpresa — as mulheres deliravam de alegria; os cortesãos, pelo contrário, estavam putos da cara, onde é que já se viu, pouca-vergonha, libertar um bandido desses. A mim não importava: eu tinha me desincumbido da missão — salvando o pastorzinho que, lágrimas nos olhos, mirava-me, agradecido. Desci os degraus, os leões dessa vez sacudindo a cabeça, mas em sinal de franca aprovação. Juntei-me a Salomão, que se limitou a me piscar o real olho. O chefe da guarda, ainda perplexo, perguntou o que deveria fazer com o prisioneiro.

— Não ouviste a sentença? — disse o rei. — Este homem está livre. Deixa-o.

Os guardas soltaram-lhe os grilhões que prendiam os pés do pastorzinho e o seu braço íntegro. Alguém me tocou no ombro. Voltei-me: era a rainha de Sabá que queria me cumprimentar pelo julgamento. Confessou que não tinha entendido muito, mas que voltaria para sua terra impressionada.

O julgamento concluído, dirigimo-nos todos para a entrada do palácio, onde a caravana já aguardava, pronta para a partida. Salomão e a rainha de Sabá despediram-se com muita formalidade, como convinha a governantes; nada de risinhos e gemidos, nada de sacanagem em versos; tua boca cubra-me de beijos, nem pensar. Salomão fez uma gentil mesura e foi tudo. Ela caminhou, graciosa como sempre, em direção ao camelo que, ajoelhado no pátio, esperava-a, ruminando. Entrou na tenda, cujas cortinas se fecharam. O pastorzinho, por sua vez, assumiu o seu lugar de guia. Passou por mim, olhou-me; ia falar alguma coisa, não conseguiu; mas o olhar que me lançou dizia tudo. Em seguida a caravana pôs-se em movimento, aplaudida pela multidão que se concentrava em frente ao palácio, e logo desapareceu atrás de uma colina.

Nada mais tendo a fazer no quarto destruído, voltei ao harém. Como esperava, minha antiga cama havia sido ocupada; naqueles dias, e apesar de toda a confusão, Salomão tinha casado com mais duas esposas e comprado três concubinas, estas de um rei qualquer semiarruinado. Felizmente havia um outro leito, de uma edomita que acabava de falecer. Não era tão bom, porque as edomitas, por alguma razão, estavam com seu prestígio em baixa, mas eu não tinha ânimo para discutir. Ao cair da noite, deitei-me, exausta.

De um bruto sono, um sono sem sonhos, despertou-me a encarregada do harém.

— Salomão está te chamando — sussurrou, os olhos brilhando na semiescuridão.

Num primeiro momento, não entendi. Salomão me chamando? Para quê? Mas a mulher insistiu e, estremunhada, acabei por me levantar. A mulher quis me preparar, maquiar-me um pouco, mas eu me recusei. Fui como estava, descabelada, desarrumada — muito mais feia do que de costume.

Salomão esperava-me, reclinado no largo leito. Foi infinitamente gentil comigo; fez com que eu me deitasse a seu lado, acariciou-me, perguntou-me o que eu esperava dele. Na verdade, eu queria que me deixasse dormir, mas jamais formularia um pedido tão extravagante. Por isso:

— Tua boca cubra-me de beijos — eu disse, mas um tanto receosa: funcionaria, a fórmula mágica? Não estaria eu correndo o risco de uma nova decepção?

A fórmula mágica funcionou. Deus, funcionou mesmo. O cara era bom de cama; e eu, estreando, não me saí mal. Meu ventre era como uma taça, e dessa taça ele sorveu, abundante, o vinho da paixão. Não foi a prosaica noite de núpcias que eu esperara: foi uma celebração, um verdadeiro banquete de sexo, todas as posições, todas as variações sendo experimentadas. De zero a dez, nota oito, com desconto dado por minha modéstia.

Levantei-me de madrugada. Ele dormia ainda, sonhando — com quê, eu nunca descobriria, e nem queria saber: preferia o mistério. Beijei-o pela última vez e saí. Caminhei sem ruído pelos corredores, cheguei ao jardim. De seus abrigos, fitavam-me os pombos.

Sem dificuldade, pulei o muro do palácio. Corri pelas ruas da cidade adormecida, em direção ao sul, ao deserto. Ia atrás de um certo pastorzinho. Se me apressasse, poderia encontrá-lo em dois ou três dias. À altura de certa montanha. E de suas enigmáticas, mas promissoras, cavernas.

Moacyr Scliar nasceu em Porto Alegre em 1937. Autor de mais de setenta livros em vários gêneros, romance, conto, ensaio, crônica, ficção infantojuvenil, suas obras foram publicadas em mais de vinte países, com grande repercusão crítica. Recebeu numerosos prêmios, como o Jabuti (1988, 1993 e 2000) o APCA (1989) e o Casa de las Américas (1989). Foi colaborador em vários órgãos da imprensa no país e no exterior. Teve seus textos adaptados para cinema, teatro, televisão e rádio, inclusive no exterior. Foi médico e membro da Academia Brasileira de Letras. Morreu em março de 2011.

OBRAS PUBLICADAS PELA COMPANHIA DAS LETRAS

Boa Companhia — Contos [VÁRIOS AUTORES]
Boa Companhia — Crônicas [VÁRIOS AUTORES]
O centauro no jardim
Contos reunidos
De primeira viagem [VÁRIOS AUTORES]
Édon Brasil
Eu vos abraço, milhões
O irmão que veio de longe
Os leopardos de Kafka
O livro da medicina
A Majestade do Xingu
Manual da paixão solitária
A mulher que escreveu a Bíblia
A orelha de Van Gogh
A paixão transformada
Saturno nos trópicos
Sonhos tropicais
Território da emoção
Os vendilhões do Templo
Vozes do Golpe — Mãe judia, 1964; A mancha; Um voluntário da pátria

COMPANHIA DE BOLSO

Jorge AMADO
Capitães da Areia
Mar morto
Carlos Drummond de ANDRADE
Sentimento do mundo
Hannah ARENDT
Homens em tempos sombrios
Origens do totalitarismo
Philippe ARIÈS, Roger CHARTIER (Orgs.)
História da vida privada 3 — Da Renascença ao Século das Luzes
Karen ARMSTRONG
Em nome de Deus
Uma história de Deus
Jerusalém
Paul AUSTER
O caderno vermelho
Ishmael BEAH
Muito longe de casa
Jurek BECKER
Jakob, o mentiroso
Marshall BERMAN
Tudo que é sólido desmancha no ar
Jean-Claude BERNARDET
Cinema brasileiro: propostas para uma história
Harold BLOOM
Abaixo as verdades sagradas
David Eliot BRODY, Arnold R. BRODY
As sete maiores descobertas científicas da história
Bill BUFORD
Entre os vândalos
Jacob BURCKHARDT
A cultura do Renascimento na Itália
Peter BURKE
Cultura popular na Idade Moderna
Italo CALVINO
Os amores difíceis
O barão nas árvores
O cavaleiro inexistente
Fábulas italianas
Um general na biblioteca
Os nossos antepassados
Por que ler os clássicos
O visconde partido ao meio
Elias CANETTI
A consciência das palavras
O jogo dos olhos
A língua absolvida
Uma luz em meu ouvido
Bernardo CARVALHO
Nove noites
Jorge G. CASTAÑEDA
Che Guevara: a vida em vermelho
Ruy CASTRO
Chega de saudade
Mau humor
Louis-Ferdinand CÉLINE
Viagem ao fim da noite
Sidney CHALHOUB
Visões da liberdade
Jung CHANG
Cisnes selvagens
John CHEEVER
A crônica dos Wapshot
Catherine CLÉMENT
A viagem de Théo
J. M. COETZEE
Infância
Juventude
Joseph CONRAD
Coração das trevas
Nostromo
Mia COUTO
Terra sonâmbula
Alfred W. CROSBY
Imperialismo ecológico
Robert DARNTON
O beijo de Lamourette
Charles DARWIN
A expressão das emoções no homem e nos animais
Jean DELUMEAU
História do medo no Ocidente
Georges DUBY
Damas do século XII
História da vida privada 2 — Da Europa feudal à Renascença (Org.)
Idade Média, idade dos homens
Mário FAUSTINO
O homem e sua hora
Meyer FRIEDMAN,
Gerald W. FRIEDLAND
As dez maiores descobertas da medicina
Jostein GAARDER
O dia do Curinga
Maya
Vita brevis
Jostein GAARDER, Victor HELLERN,
Henry NOTAKER
O livro das religiões

Fernando GABEIRA
O que é isso, companheiro?
Luiz Alfredo GARCIA-ROZA
O silêncio da chuva
Eduardo GIANNETTI
Auto-engano
Vícios privados, benefícios públicos?
Edward GIBBON
Declínio e queda do Império Romano
Carlo GINZBURG
Os andarilhos do bem
História noturna
O queijo e os vermes
Marcelo GLEISER
A dança do Universo
O fim da Terra e do Céu
Tomás Antônio GONZAGA
Cartas chilenas
Philip GOUREVITCH
Gostaríamos de informá-lo de que amanhã seremos mortos com nossas famílias
Milton HATOUM
A cidade ilhada
Cinzas do Norte
Dois irmãos
Relato de um certo Oriente
Um solitário à espreita
Patricia HIGHSMITH
Ripley debaixo d'água
O talentoso Ripley
Eric HOBSBAWM
O novo século
Sobre história
Albert HOURANI
Uma história dos povos árabes
Henry JAMES
Os espólios de Poynton
Retrato de uma senhora
P. D. JAMES
Uma certa justiça
Ismail KADARÉ
Abril despedaçado
Franz KAFKA
O castelo
O processo
John KEEGAN
Uma história da guerra
Amyr KLINK
Cem dias entre céu e mar
Jon KRAKAUER
No ar rarefeito
Milan KUNDERA
A arte do romance
A brincadeira
A identidade
A ignorância
A insustentável leveza do ser
A lentidão
O livro do riso e do esquecimento
Risíveis amores
A valsa dos adeuses
A vida está em outro lugar
Danuza LEÃO
Na sala com Danuza
Primo LEVI
A trégua
Alan LIGHTMAN
Sonhos de Einstein
Gilles LIPOVETSKY
O império do efêmero
Claudio MAGRIS
Danúbio
Naguib MAHFOUZ
Noites das mil e uma noites
Norman MAILER (JORNALISMO LITERÁRIO)
A luta
Janet MALCOLM (JORNALISMO LITERÁRIO)
O jornalista e o assassino
A mulher calada
Javier MARÍAS
Coração tão branco
Ian McEWAN
O jardim de cimento
Sábado
Heitor MEGALE (Org.)
A demanda do Santo Graal
Evaldo Cabral de MELLO
O negócio do Brasil
O nome e o sangue
Luiz Alberto MENDES
Memórias de um sobrevivente
Jack MILES
Deus: uma biografia
Vinicius de MORAES
Antologia poética
Livro de sonetos
Nova antologia poética
Orfeu da Conceição
Fernando MORAIS
Olga
Toni MORRISON
Jazz
V. S. NAIPAUL
Uma casa para o sr. Biswas

Friedrich NIETZSCHE
Além do bem e do mal
Ecce homo
A gaia ciência
Genealogia da moral
Humano, demasiado humano
O nascimento da tragédia

Adauto NOVAES (Org.)
Ética
Os sentidos da paixão

Michael ONDAATJE
O paciente inglês

Malika OUFKIR, Michèle FITOUSSI
Eu, Malika Oufkir, prisioneira do rei

Amós OZ
A caixa-preta
O mesmo mar

José Paulo PAES (Org.)
Poesia erótica em tradução

Orhan PAMUK
Meu nome é Vermelho

Georges PEREC
A vida: modo de usar

Michelle PERROT *(Org.)*
História da vida privada 4 — Da Revolução Francesa à Primeira Guerra

Fernando PESSOA
Livro do desassossego
Poesia completa de Alberto Caeiro
Poesia completa de Álvaro de Campos
Poesia completa de Ricardo Reis

Ricardo PIGLIA
Respiração artificial

Décio PIGNATARI (Org.)
Retrato do amor quando jovem

Edgar Allan POE
Histórias extraordinárias

Antoine PROST, Gérard VINCENT (Orgs.)
História da vida privada 5 — Da Primeira Guerra a nossos dias

David REMNICK (JORNALISMO LITERÁRIO)
O rei do mundo

Darcy RIBEIRO
Confissões
O povo brasileiro

Edward RICE
Sir Richard Francis Burton

João do RIO
A alma encantadora das ruas

Philip ROTH
Adeus, Columbus
O avesso da vida
Casei com um comunista
O complexo de Portnoy
Complô contra a América
A marca humana
Pastoral americana

Elizabeth ROUDINESCO
Jacques Lacan

Arundhati ROY
O deus das pequenas coisas

Murilo RUBIÃO
Murilo Rubião — Obra completa

Salman RUSHDIE
Haroun e o Mar de histórias
Oriente, Ocidente
O último suspiro do mouro
Os versos satânicos

Oliver SACKS
Um antropólogo em Marte
Enxaqueca
Tio Tungstênio
Vendo vozes

Carl SAGAN
Bilhões e bilhões
Contato
O mundo assombrado pelos demônios

Edward *W.* SAID
Cultura e imperialismo
Orientalismo

José SARAMAGO
O Evangelho segundo Jesus Cristo
História do cerco de Lisboa
O homem duplicado
A jangada de pedra

Arthur SCHNITZLER
Breve romance de sonho

Moacyr SCLIAR
O centauro no jardim
A majestade do Xingu
A mulher que escreveu a Bíblia

Amartya SEN
Desenvolvimento como liberdade

Dava SOBEL
Longitude

Susan SONTAG
Doença como metáfora / AIDS e suas metáforas
A vontade radical

Jean STAROBINSKI
Jean-Jacques Rousseau
I. F. STONE
O julgamento de Sócrates
Keith THOMAS
O homem e o mundo natural
Drauzio VARELLA
Estação Carandiru *John* UPDIKE
As bruxas de Eastwick
Caetano VELOSO
Verdade tropical
Erico VERISSIMO
Caminhos cruzados
Clarissa
Incidente em Antares
Paul VEYNE (Org.)
História da vida privada 1 — Do Império Romano ao ano mil
XINRAN
As boas mulheres da China
Ian WATT
A ascensão do romance
Raymond WILLIAMS
O campo e a cidade
Edmund WILSON
Os manuscritos do mar Morto
Rumo à estação Finlândia
Edward O. WILSON
Diversidade da vida
Simon WINCHESTER
O professor e o louco

1ª edição Companhia das Letras [1999] 7 reimpressões
2ª edição Companhia das Letras [2003] 5 reimpressões
3ª edição Companhia das Letras [2025]
1ª edição Companhia de Bolso [2007] 12 reimpressões

Esta obra foi composta pela Verba Editorial em Janson Text
e impressa em ofsete pela Gráfica Bartira sobre papel Pólen
da Suzano S.A. para a Editora Schwarcz em junho de 2025

FSC
www.fsc.org
MISTO
Papel | Apoiando o manejo florestal responsável
FSC® C105484

A marca FSC® é a garantia de que a madeira utilizada na fabricação do papel deste livro provém de florestas que foram gerenciadas de maneira ambientalmente correta, socialmente justa e economicamente viável, além de outras fontes de origem controlada.